# DON ÁLVARO
### O
# LA FUERZA DEL SINO

———

# EL DESENGAÑO EN UN SUEÑO

Selecciones Austral

D ANGEL DE SAAVEDRA

*Duque de Rivas.*

Angel de Saavedra, duque de Rivas. Madrid. Museo Municipal

*Foto Archivo Espasa-Calpe*

DUQUE DE RIVAS

# DON ÁLVARO
## o
# LA FUERZA DEL SINO

—

# EL DESENGAÑO
# EN UN SUEÑO

PRÓLOGO DE CARLOS RUIZ SILVA

SEXTA EDICIÓN

ESPASA-CALPE, S. A.
MADRID
1989

Ediciones para

SELECCIONES AUSTRAL

Primera edición: 30 -  IV  - 1980
Segunda edición: 13 -   I   - 1982
Tercera edición: 10 - XII - 1982
Cuarta edición:  17 -  X  - 1984
Quinta edición:  27 - VII - 1987
Sexta edición:    7 - VII - 1989

© Espasa-Calpe, S. A., Madrid, 1980

—

Diseño de cubierta: Alberto Corazón

—

Depósito legal: M. 23.991—1989

ISBN 84—239—2070—4

Impreso en España
Printed in Spain

Talleres gráficos de la Editorial Espasa-Calpe, S. A.
Carretera de Irún, km. 12,200. 28049 Madrid

# INDICE

# PRÓLOGO

## EN TORNO A LA BIOGRAFÍA DEL DUQUE DE RIVAS

Don Ángel de Saavedra y Ramírez de Baquedano, más conocido en la historia de la literatura española como duque de Rivas, nació en Córdoba el 10 de marzo de 1791. Destinado, como segundón que era, a la carrera de armas, coinciden sus primeros años juveniles con la invasión francesa y la guerra de la Independencia. Se forma, militar y culturalmente, en Madrid, donde pronto figura entre los jóvenes aristócratas con inquietudes intelectuales; pintura, literatura —especialmente poesía—, política, ocupan estos años madrileños. De esta época turbulenta con que se abre el turbulento siglo XIX nos llegan las primeras muestras de su quehacer literario («A la victoria de Bailén», un poema heroico, ampuloso y neoclásico de 1808). En 1809 entra en guerra, siendo gravemente herido en la batalla de Ocaña. Recuperado, pasa a Andalucía, donde vuelve a luchar contra los franceses y, una vez finalizada la guerra y pedido el retiro militar, se instala en Sevilla

La famosa Constitución de Cádiz de 1812 marca un profundo hito en la historia de España y, de hecho, toda la actividad política hasta la madurez de nuestro autor (hasta la Constitución de 1837) gira en torno a ella. La profunda crisis social surgida a finales del siglo XVIII, las consecuencias de la Revolución francesa, el nacimiento de una corriente liberal que pretende la transformación progresista de una España agostada, empobrecida y analfabeta (el 94 por 100 de la población no sabía leer ni escribir a comienzos del siglo XIX), todo ello se ve reflejado en la Constitución de Cádiz y en la mentalidad de nuestro autor por esos años.

Entre 1814 y 1820, es decir, entre la restauración de Fernando VII y el pronunciamiento de Riego, que obliga al rey a jurar la Constitución, pasa el duque de Rivas unos años en que dominan en él la tranquilidad y la dedicación al arte y la literatura. Pero a partir de 1820, influido por su gran amigo Alcalá Galiano, entrará en la política activa del lado de los liberales, consiguiendo un escaño por Córdoba en 1822. Poco había de durar la vigencia real de la Constitución. Al año siguiente, con la ayuda de los Cien Mil Hijos de San Luis, Fernando VII vuelve a la tiranía absolutista. Don Ángel de Saavedra tiene que partir hacia el exilio, como tantos otros liberales, para evitar la feroz represión fernandina. Reside unos meses en Londres antes de instalarse en Malta, donde, junto con su mujer doña María Encarnación Cueto, pasa cinco años, de 1825 a 1830. Aquí debemos buscar los verdaderos inicios románticos del escritor: lee a Lope de Vega, a Shakespeare, a Byron, a Walter Scott y se interesa por la Edad Media española; el destierro le otorga una especial melancolía y un sentido del fatalismo que influirá decididamente en su creación literaria.

En 1830 va a París. Es éste otro de los momentos importantes de su vida, pues allí se pone en contacto directo con los más famosos escritores franceses del Romanticismo: Víctor Hugo (cuyo drama *Hernani,* con que se inicia oficialmente el teatro romántico, se estrena precisamente ese mismo año), Lamartine, Mérimée. En 1833 muere Fernando VII y al año siguiente, promulgada una amnistía, regresa a España tras diez años de destierro. En 1834 muere su hermano

Retrato anónimo del duque de Rivas

*Foto Archivo Espasa-Calpe*

mayor, ostentando a partir de este momento el título de
duque de Rivas. Pero, curiosamente, el regreso ha
transformado al antiguo liberal en un hombre más
moderado y conservador. Como contrapartida, desde el
punto de vista literario Rivas aparece como un romántico exacerbado, muy alejado de aquellos primeros
intentos neoclásicos en los que sigue las huellas de
Quintana y Meléndez Valdés. El estreno, en 1835, de
*Don Álvaro* puede marcar el momento clave del Romanticismo literario español, si bien en la década siguiente
nuestro autor, con sus *Romances históricos* y *El desengaño en un sueño,* moderaría su ímpetu y tornaría los
ojos hacia una literatura más meditativa.

En cuanto a la política y a la vida social podemos
señalar que llega a ser presidente del Ateneo, senador,
y ministro de la Gobernación en 1836, formando parte
de un gabinete ciertamente conservador. Poco después cae el Gobierno, Rivas se va a Lisboa y regresa
al año siguiente, en que se promulga la Constitución de
1837, ya enteramente conservadora. A partir de estas
fechas, la vida del duque de Rivas es la de un aristócrata ilustrado y no precisamente liberal: vuelve al
Senado, es embajador en Nápoles de 1844 a 1850
(donde tiene como secretario a Juan Valera), de nuevo
ministro, otra vez embajador, ahora en París (1857-58),
llega a ser presidente de la Real Academia Española,
además de miembro de la de San Fernando y de la de
Historia, y se le cubre de honores y de condecoraciones
hasta que muere el 22 de junio de 1865.

Abarca la no breve vida del duque de Rivas un
período difícil, inestable y lleno de convulsiones, no
sólo en nuestro país, sino en general en toda Europa.
No debemos olvidar lo que suponen en el ámbito polí-
tico, en la visión del mundo y en el tono de la vida,
acontecimientos como las guerras napoleónicas que
ensangrientan Europa, las posteriores revoluciones bur-
guesas, la gran crisis económica de 1847, el surgimiento
en forma organizada de la ideología marxista, la expan-

sión de la revolución industrial..., y todo ello, en el caso
de nuestro autor, unido a una mentalidad lógicamente
elitista, elegante, de una tradición aristocrática y privilegiada imposible de soslayar. Si el duque de Rivas
hubiese muerto en su juventud, figuraría en la historia
de la literatura como un apasionado romántico que
luchó por la libertad de su pueblo. Con una vida tan
colmada, será más justo decir que fue un espíritu aristo-
crático, con todas sus contradicciones, pero que tuvo el
talento suficiente como para fijar a través de la literatura un aspecto importante de una sociedad y de un
tiempo determinados. Lo cual, evidentemente, no es en
absoluto desdeñable.

## La obra del duque de Rivas

Aun sin ser excesivamente voluminosa, la obra del
duque de Rivas es más extensa de lo que habitualmente
suele considerarse. Por razones de claridad, podemos
dividirla en tres grupos, que corresponden a sus
comienzos y primeras obras hasta 1830, un segundo
grupo hasta 1840 y la etapa final. Hemos preferido este
criterio al de dividir las obras por géneros literarios,
porque permite una clasificación más acorde con el
pensamiento y la visión del mundo y de la vida humana
del escritor, que puede diferenciarse, creemos, con suficiente nitidez.

El primer grupo pertenece a la etapa neoclásica, en la
que está todavía vigente la antigua estética diecio-
chesca de las unidades (en lo teatral), el buen gusto, el
equilibrio, y en fin, el sometimiento a una serie de
normas dictadas por la Academia. A esta clase pertenecen los poemas agrupados en su primer libro titulado
sencillamente *Poesías* (Cádiz, 1814), cuya edición definitiva muy corregida y notablemente ampliada se llevó
a cabo años después (Madrid, 1820). *El paso honroso* y
*Florinda* son dos poemas en octavas reales sobre los

conocidos asuntos medievales de la caballeresca defensa del puente de Órbigo realizada por Suero de Quiñones y los amores del último rey godo, infinidad de veces tratados en la literatura española.

A este mismo grupo pertenecen una serie de tragedias escritas con el máximo escrúpulo clasicista, pero que el propio autor no quiso incluir en sus *Obras completas* de 1854: *Ataúlfo* (1814), *Aliatar* (1816), *Doña Blanca* (1817), *El duque de Aquitania* (1817), *Malek-Adhel* (1818), *Lanuza* (1822), *Arias Gonzalo* (1827) y la comedia *Tanto vales cuanto tienes* (1828), obra esta última vinculada a las comedias costumbristas de Bretón de los Herreros. De todas estas tragedias sólo nos interesa subrayar que en su temática encontramos ya algunos de los rasgos típicos del mundo romántico: nacionalismo, exotismo y una cierta dosis de sentimientos apasionados, pero resulta todo ello excesivamente rígido, sin ese vuelo imaginativo y esa libertad expresiva que constituye uno de los rasgos fundamentales de *Don Álvaro.*

También en este primer grupo se incluyen algunos poemas breves escritos durante el destierro y que se encuentran entre lo más interesante de su creación poética (no siempre inspirada); tal es el caso de *El desterrado* y *El faro de Malta,* en los que se percibe ya un aire más personal y renovador, no exento de nobleza.

El segundo grupo comprende las obras escritas durante la década de 1830 a 1840. En su punto central se encuentra *Don Álvaro o La fuerza del sino,* obra de la que nos ocuparemos más extensamente. Aunque publicado en París en 1834, el poema *El moro expósito o Córdoba y Burgos en el siglo X,* fue escrito entre 1829 y 1833, y es, pese a su desigualdad, una de las obras más sugestivas de este autor. Trata del tan conocido tema medieval de los siete infantes de Lara y de la venganza de su hermanastro Mudarra. Aquí sí encontramos acentos, situaciones e intenciones que pueden considerarse inmersas en el Romanticismo. La inspiración del poema, si bien desigual, alcanza momentos de elevada

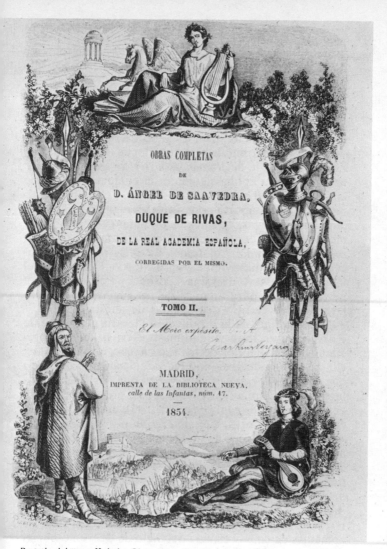

OBRAS COMPLETAS

DE

D. ÁNGEL DE SAAVEDRA,

DUQUE DE RIVAS,

DE LA REAL ACADEMIA ESPAÑOLA,

CORREGIDAS POR EL MISMO.

TOMO II.

*El Moro expósito.*

MADRID,
IMPRENTA DE LA BIBLIOTECA NUEVA,
*calle de las Infantas, núm. 17.*

1854.

Portada del tomo II de las Obras Completas del duque de Rivas. Madrid 1854

*Foto Oronoz*

hermosura y algunas de sus situaciones recuerdan sin duda a las de *Don Álvaro* (Mudarra procede de alta estirpe pero de dos razas diferentes, mata sin desearlo al padre de su amada, se ve perseguido por la fatalidad, etcétera). También se incluyen en esta etapa sus leyendas *La azucena milagrosa, El aniversario* y *Maldonado,* escritas en métricas diversas y no carentes de interés, sobre todo la última, si bien su valor es inferior a las de Zorrilla. La serie de *Romances históricos* están a caballo entre ésta y su época siguiente; el conjunto se publicó en París en 1841 y, aunque de diferente calidad, constituye una de las aportaciones más y mejor trabajadas de la pluma de Rivas, que llega a dominar el octosílabo de modo maestro, como sucede con *Un castellano leal* o *El solemne desengaño.* Los temas de estos romances proceden de la Edad Media y el siglo XVI. Don Pedro el Cruel, don Álvaro de Luna, Carlos I y Felipe II sirven de inspiración para algunas de las páginas más populares y a la vez más distinguidas de nuestro escritor.

La etapa final de la producción literaria del duque de Rivas tiene un tono mucho más reflexivo —como apreciamos ya en algunos de los romances—, destacando en ella un drama de gran entidad e injustamente olvidado que es *El desengaño en un sueño,* al que nos referiremos luego más ampliamente. Obras en prosa, como *Los españoles pintados por sí mismos* (1843), una serie de cuadros de costumbres, *La sublevación de Nápoles capitaneada por Masaniello* (1848), obra histórica bien documentada sobre los sucesos de 1647, son muestra de la diversidad de estilo, de apetencias y de enfoque que don Ángel Saavedra plasmó en sus últimas obras. Otros dramas, como *Solaces de un prisionero, La morisca de Alajuar* y *El crisol de la lealtad* carecen de especial interés y están realizados siguiendo el modelo de las comedias de capa y espada del Siglo de Oro, en especial de Alarcón y Calderón.

El conjunto de la creación literaria del duque de Rivas se nos aparece, pues, como considerable de extensión, desigual de calidad, y variado en temas e intenciones. Pero sólo con las dos obras que figuran en el presente volumen tendría siempre asegurado un lugar de indiscutible importancia en el panorama de nuestras letras durante la primera mitad del siglo XIX.

## «DON ÁLVARO O LA FUERZA DEL SINO»
### «DON ÁLVARO» Y EL TEATRO ROMÁNTICO ESPAÑOL

El teatro romántico español tiene una existencia breve. Puede afirmarse, grosso modo, que en poco más de una década nace, vive y muere. En 1834 se estrenan *La conjuración de Venecia,* de Martínez de la Rosa, y *Macías,* de Larra; en 1835 *Don Álvaro; El trovador,* de García Gutiérrez en 1836, y en 1837, *Los amantes de Teruel,* de Hartzenbusch. El famoso *Don Juan Tenorio* aparece en 1844, y a partir de esa fecha, el teatro romántico va rápidamente hacia su ocaso. Pero es innegable la fuerza que tuvo en su tiempo y el reflejo que supone de un cambio de la mentalidad social y del nuevo talante de ideas y sentimientos con respecto al tono de la vida.

El drama romántico reacciona contra el teatro neoclásico anterior, contra el llamado «buen gusto», contra el equilibrio y la mesura. La libertad debe regir no sólo la vida, sino también el arte; de ahí el rompimiento con las normas establecidas y los aspectos formales, de ahí esa mezcla de elementos trágicos y cómicos, de prosa y verso, de ahí la superación de las unidades de tiempo y de lugar. En el drama romántico nos hallamos ante una gran variedad de lugares escénicos que responden a las habituales complicaciones de la trama y a una elección o, mejor, predilección por ciertos de estos lugares que antes eran inhabituales: paisajes abruptos, conventos o monasterios aislados del mundo, panteones... Las acotaciones son ahora abundantes, en contraste con su ausencia en el teatro anterior, y la puesta en escena y

los efectos de la maquinaria teatral cobran una insospe-
chada importancia. También el número de los actos o
jornadas ha variado: ya no son siempre los tres que
Lope había establecido, sino que llegan a cuatro o
cinco; el número de personajes ha crecido sensible-
mente al igual que la duración. En suma, los cambios
formales que implanta el nuevo teatro suponen una
convulsión no menor que ese cambio de mentalidad
que, en el fondo, ha permitido y potenciado el nacimiento del nuevo drama. *Don Álvaro o La fuerza del sino*
es el más claro, fiel e intenso representante de todo
cuanto acabamos de exponer.

Cuando a principios de los años treinta del siglo
pasado don Ángel Saavedra comienza a pensar en la
creación de una pieza teatral que resultase nueva y dis-
tinta a su producción anterior, el ambiente ya es pro-
picio para la creación de *Don Álvaro*. De la interacción
del movimiento romántico que se respira en Europa y
de la tradición literaria y humana, es decir, española, de
Rivas surge este gran drama romántico. Esto lo vio ya
Enrique Saavedra, hijo del autor, quien en el prólogo a
la edición de las *Obras completas* de su padre de 1894
escribe: «poeta esencialmente español, no quiso dejarse
arrastrar por un extranjerismo exagerado, convirtién-
dose en humilde secuaz de Alfredo de Vigny o de Víctor
Hugo; y buscando el venero de la inspiración dramática
en sus propias afecciones y creencias, en los recuerdos
de la patria y en los lugares frecuentados por él en sus
juveniles años, fijóse al cabo en una tradición andaluza,
que había oído referir de niño a una antigua criada de
su madre y forjando sobre aquella base la trágica fábula
de *Don Álvaro,* y revistiéndola de los esplendores de la
musa calderoniana, formó, sin duda, un drama romántico; pero el más español y también el más popular de
cuantos hemos visto en la escena» [1].

Las reminiscencias literarias hispanas se entremez-

---

[1]    Ob. cit., t. I, pág. xxi.

clan en la obra con las leyendas populares de tradición oral. Es significativo, por ejemplo, que al menos tres de los personajes del drama, aun cuando no sean importantes, coincidan con otros tantos de Cervantes. La gitana Preciosilla toma el nombre de la heroína de *La gitanilla;* el mesonero Monipodio, de uno de los pícaros de *Rinconete y Cortadillo,* y el nombre adoptado por don Carlos de Vargas en Italia, don Félix de Avendaña, nos trae al recuerdo el de don Tomás de Avendaño en *La ilustre fregona.* La leyenda de la mujer penitente parece basarse en un hecho real ocurrido durante el reinado de los Reyes Católicos, siendo recogido el tema en un drama del siglo XVII titulado *El escándalo del mundo y prodigio del desierto,* de Fernando Pedrique, que vendría a formar parte del conocido tema de la mujer pecadora y más tarde arrepentida que se aísla totalmente del mundo; recuérdese a Santa María Egipciaca [2].

En la pieza de Rivas, el tema de la mujer penitente se combina, en el mismo personaje, con el de la mujer disfrazada de hombre, que tiene en nuestra escena una larga tradición; está ya en Lope de Rueda y la encontramos abundantemente en el teatro del Siglo de Oro. El propio Lope de Vega recomienda este ardid teatral en su *Arte nuevo de hacer comedias* [3]. En cuanto a la leyenda del diablo que se hace pasar por monje —recogido por el autor en la jornada quinta— sirvió como inspiración para otro drama de nuestro barroco, *El diablo predicador,* de Luis Belmonte y Bermúdez, un contemporáneo y eventual colaborador de Calderón, que alcanzó gran éxito en su tiempo.

Lo que puede afirmarse es que en *Don Álvaro,* si no

---

[2] Este tema ha dado lugar en nuestra literatura al poema del siglo XIII *Vida de Santa María Egipciaca* y a dos obras dramáticas del siglo XVII. *La adúltera virtuosa,* de Antonio Mira de Amescua, y *La gitana de Menfis,* de Juan Pérez de Montalbán.

[3] Sobre este tema puede consultarse la obra de Carmen Bravo-Villasante, *La mujer vestida de hombre en el teatro español* (siglos XVI y XVII), Madrid, 1955.

elementos autobiográficos propiamente dichos, al menos encontramos testimonios de sus experiencias vitales: narraciones de sucesos extraordinarios que le fueron referidos en su niñez o el conocimiento del ambiente militar; todo ello, naturalmente, pasado por el tamiz literario. *Don Alvaro* se nos presenta, de este modo, no sólo como un audaz rompimiento con el modo teatral anterior, sino también como una obra perfectamente enraizada en la tradición dramática y literaria hispánica. De hecho, el movimiento romántico intenta favorecer lo que considera la verdadera naturaleza de cada nación. Tanto el duque de Rivas como su obra responden a este postulado.

## ESTRUCTURA DE LA OBRA

*Don Alvaro o La fuerza del sino* está dividida en cinco jornadas con una extensión muy semejante. Ya hemos advertido que la diversidad de escenarios es una de las características del teatro romántico; en el drama de Rivas la acción sucede en nada menos que quince lugares de muy diversa índole: interiores de casas, conventos y mesones; espacios abiertos que van desde la plaza de un pueblo a una selva y de un puente de barcas a un valle rodeado de inaccesibles riscos. La mezcla de prosa y verso es otra de las características de la obra y que, a nuestro juicio, constituye un acierto.

En general, las escenas más importantes y sentidas, las más dramáticas y también las de acento más lírico y personal están en verso, reservándose la prosa para las de tipo costumbrista, preparatorias casi siempre de los acontecimientos de más relieve. Los finales de la primera y de la última jornada pueden considerarse como las únicas excepciones. Las escenas están escritas sin mezclar verso y prosa, no cumpliéndose este precepto en la séptima de la primera jornada; en ella la prosa sucede al verso, si bien enlazando ya con la octava y última escena, toda en prosa, al interrumpirse el verso precisamente en el momento en que se escucha el ruido producido por el marqués, cuya aparición dará origen a la escena final del acto. Existe un segundo incumplimiento en la última jornada, en la escena novena, en la que sucede algo semejante; la prosa sucede al verso en el instante en que don Alfonso cae mortalmente herido por la espada de don Álvaro y éste va en busca del santo penitente (en realidad, Leonor), cuya aparición da entrada a la escena siguiente ya totalmente en prosa.

La polimetría —rasgo acusado del teatro español desde el *Auto de los Reyes Magos*— se impone también en *Don Álvaro:* redondillas y romances octosílabos principalmente, pero también décimas, silvas y romances endecasílabos podemos encontrar en los dos mil doscientos setenta y cinco versos que encierra el drama. Por lo general, si bien en ocasiones resulta un poco dura y poco natural, la versificación responde bien a las situaciones dramáticas, destacándose el monólogo del protagonista en la tercera jornada, unas décimas que traen en seguida a la mente las tan famosas de Segismundo en *La vida es sueño,* de Calderón de la Barca.

La obra tiene una estructura formal muy pensada y desarrollada. Suele dar comienzo cada jornada con unas escenas costumbristas, para pasar luego a otras de mayor intensidad dramática que van creciendo hasta alcanzar siempre un clímax en la escena final. Es decir, cada una de las jornadas está concebida pensando en el efecto que sacudirá al público en el momento en que caiga el telón. Repasemos un momento: la jornada primera finaliza con la muerte del marqués de Calatrava maldiciendo a su hija; la segunda, con la aceptación del Padre Guardián a los requerimientos de doña Leonor de encerrarse para siempre en una cueva como penitente; la tercera, con el anuncio de que don Álvaro no ha muerto de las heridas sufridas, preparándose así don Carlos a la tan ansiada venganza; la cuarta, con el súbito ataque de las tropas enemigas, evitando de ese

modo la ejecución de la pena de muerte que pesaba
sobre don Álvaro; en fin, en la escena última del drama
se acumulan muertes, horrores y paroxismos para
alcanzar la máxima intensidad dramática y así poder
lograr esa catarsis purificadora que es la esencia de
toda verdadera tragedia. En medio de tanta acción y
tan tremendos sucesos no falta el soplo lírico o medita-
tivo que hace de contrapeso y freno a la violencia y
rapidez de la acción, ni las facetas cómicas —a cargo del
hermano Melitón sobre todo—, que atenúan la enorme
tensión generada por la abrumadora fuerza del destino,
que recorre implacablemente toda la obra.


PERSONAJE Y SITUACIONES

No menos de veintiséis son los personajes —sin contar
con los comparsas, de soldados, arrieros y lugareños—
que figuran en *Don Álvaro,* lo cual supone un importante cambio con respecto a la costumbre tradicional;
el hecho responde a esa misma necesidad de amplia-
ción que suponen los cambios escénicos o la mayor
extensión de la obra. Ya el autor había previsto las dificultades que tanto el incremento de personajes como el
de mutaciones de la escena podían acarrear. En la primera edición del drama —1835— se dan normas para
que, en caso de necesidad, un mismo actor pueda realizar dos o tres personajes distintos.

Veamos, aun cuando sea someramente, algunos
rasgos definitorios de los personajes centrales. Doña
Leonor responde al papel dulce y femenino, pero capaz
de apasionadas acciones, típico de las heroínas del
teatro romántico; sus dudas entre el amor que siente
por don Álvaro y el respeto a la autoridad paterna —sos-
tenimiento del orden social imperante— están muy bien
expresadas en la primera jornada. Su decisión de buscar
en Dios y el apartamiento del mundo el consuelo a sus
males viene dictada por la actitud intolerante de sus

hermanos, que son ahora —tras la muerte del padre— los encargados de velar por el honor familiar. Don Carlos y don Alfonso son, a su vez, víctimas de ese código del honor, más estricto cuanto más alto se está en la escala social, que los impulsa a la venganza. El autor les dio, sobre todo a don Carlos, un cierto sentido de nobleza y humanidad que los salva de convertirse en personajes de una sola pieza, cosa que vemos incluso en las breves intervenciones del marqués, donde muestra, sí, un elevado grado de prejuicio, pero también una innegable ternura. La familia del aristócrata es representante de una clase social privilegiada, pero que no ha sabido adaptarse a los nuevos tiempos; toda Sevilla sabe que están arruinados, que todo son apariencias. En este sentido hay una condena implícita del autor que se hace todavía más clara por el retrato que nos da de don Alvaro y la simpatía que despierta en el espectador y en la mayoría de los personajes del drama.

Don Alvaro es el prototipo, la estampa auténtica del héroe romántico: joven, hermoso y valiente; noble, rico y misterioso; bueno, generoso y apasionado. Precisamente todo ello hace más terrible el fatal sino que le persigue y termina por aniquilarlo. Pese a todo don Álvaro lucha, lucha contra ese destino: su hombría de bien se pone una y otra vez a prueba hasta que perece. Pero, precisamente, nunca es más grande el héroe que cuando sucumbe ante el destino, de ahí que sólo el proceso inmisericorde de hechos que el autor nos va ofreciendo, pueda vencer a don Álvaro. Es decir, el destino ha necesitado desplegar todo su poder, toda su inmensa fuerza para vencer al héroe, y éste, por tanto, alcanza las más altas cumbres de la grandeza trágica, según la conciencia romántica.

Los personajes populares están trazados con breves pero vigorosas pinceladas, y ello prueba que el duque de Rivas conoció los tipos y ambientes que escenifica. El Padre Guardián, como el Padre Cleto, que no aparece, son representantes de la parte mejor de la Iglesia, seres comprensivos que ayudan con su mejor voluntad a los desgraciados que en ellos buscan consuelo.

Pero ¿qué es lo que mueve el drama?, ¿cuál es la causa verdadera de tantos males?, ¿qué quiso decirnos realmente el autor? Muchas soluciones se han ofrecido a estos problemas. De algún modo parece que el subtítulo de la obra indica ya una cierta respuesta, pero los críticos no se han puesto de acuerdo sobre ello. Drama de honor al estilo de las tragedias de Calderón (Sedwick), fatalismo de un error voluntario (Cañete), o azar puramente mecánico y sin sentido (Ruiz Ramón), por poner sólo unos ejemplos.

Hay en *Don Álvaro,* como en *El trovador,* ciertos elementos que podrían inducir a pensar en la posibilidad de un conflicto dramático de carácter social, de lucha de clases. En efecto, la desgracia inicial se deriva de que el linajudo marqués de Calatrava rechaza a don Álvaro como yerno, por ser éste un indiano de origen desconocido. En el momento en que el protagonista, descubierto su intento de fuga, se ofrece al marqués para que lo mate y dejar a salvo el honor de su hija, éste le responde con arrogancia:

> ¡Tú, morir a manos de un caballero!
> No, morirás a las del verdugo.

Y en la jornada IV encontramos otro testimonio en la misma línea. Don Carlos de Vargas, el hermano de Leonor, incita a la lucha a don Álvaro para intentar vengar su honor, que cree ultrajado. Cuando éste le dice que él es hombre de nobleza y pundonor, don Carlos le responde, lleno de desprecio:

> ¡Nobleza un aventurero!
> ¡Honor un desconocido!
> ¡Sin padre, sin apellido,
> advenedizo, altanero!

Y aún en la última jornada, cuando se descubre, al fin, que don Álvaro es hijo nada menos que de un virrey y

de la última princesa inca y que, tras pasar injustos años
en la cárcel, sus padres han sido repuestos en honras y
dignidades, don Alfonso, el otro hermano de Leonor, le
insulta tachándole de mestizo. Pero, a estas alturas del
drama, el público está de parte de don Álvaro y el mes-
tizaje que posee es de la más noble estirpe, superior a la
de la familia del marqués. El conflicto dramático que
realmente se hubiese derivado de la relación amorosa
entre dos miembros de estamentos sociales diferentes o,
mejor, encontrados, desaparece. El caso de Manrique y
Leonor en la obra citada de García Gutiérrez es muy
similar; el supuesto hijo de una gitana es, en realidad, el
hermano menor del Conde de Luna. Toda pretensión
de poder analizar tanto *Don Álvaro* como *El trovador*
desde la perspectiva de la lucha de clases nos parece,
por tanto, inviable.

Don Álvaro es ante todo un drama de libertad, tanto
en sus situaciones formales como en su intencionalidad
expresiva. Sería injusto y equivocado juzgar la obra
separada de su contexto histórico, de su contexto
romántico. Lo que hoy nos puede parecer exagerado
—muchas de sus expresiones, la abrumadora concatena-
ción de hechos fortuitos y fatales— está testificando una
actitud vital determinada y concreta, no atemporal. Esa
fuerza incontrolable de la tragedia griega, ese nihilismo
en el que asoma tantas veces la angustia está tratado,
visto y sentido desde la óptica romántica. Y teniendo
esto muy en cuenta podremos ser más justos con este
*Don Álvaro* que, por otra parte, posee una innegable
fuerza teatral, una riqueza de tipos, situaciones y
ambientes realmente notables, y lo que es todavía más
importante, una vitalidad que le ha permitido pasar por
encima de tantos y tan diferentes modos y modas teatrales desde su estreno hasta hoy.

EL DUQUE DE RIVAS Y VERDI

Sobre el tema de *Don Álvaro* compuso Giuseppe
Verdi su ópera *La forza del destino,* que se estrenó en
San Petersburgo en 1862. Verdi conoció la obra española a través de una traducción italiana, publicada en
Milán en 1850, que le causó una honda impresión: «El
drama tiene fuerza, es original y muy extenso. Me gusta
extraordinariamente»[4]. El autor del libreto, Francesco
Maria Piave, en colaboración estrecha y directa con el
compositor, adaptó la obra con bastante fidelidad, redu-
ciendo lógicamente el texto y los personajes para ade-
cuarlos a su nueva estructura teatral, aunque siempre
con bastante respeto al original. Así, por ejemplo, los
dos hermanos de doña Leonor se reducen a uno y la
protagonista femenina cobra una mayor importancia,
sobre todo en el final. De los cinco actos o jornadas se
pasan a cuatro en la ópera, aunque también en ésta se
conserva la multiplicidad de escenarios. Tal vez el
cambio más considerable resida en el desenlace, ya que
a Verdi le pareció excesiva la acumulación de muertes;
en la versión definitiva de la obra —de 1869— don
Álvaro no se suicida, sino que acata resignadamente la
fuerza de su destino ante la súplica de la moribunda
Leonor, que muere serenamente y con la confianza de
encontrarse de nuevo con él, y ya para siempre, en el
paraíso.

La ópera, aunque irregular, tiene momentos de una
gran belleza —sobre todo en la música que canta
Leonor—, y el personaje de don Álvaro está psicológica-
mente muy bien dibujado con su mezcla de hidalguía,
generosidad y apasionado temperamento, mientras que
don Carlos de Vargas no carece de nobleza y sirve de
adecuado antagonista al desgraciado indiano. También

---

[4]  De una carta a su amigo Leone Escudier, reproducida por la
*Rivista Musicale Italiana,* vol. XXXV, 1928, pág. 22.

Angel de Saavedra, duque de Rivas. Retrato por Miguel Navarro y Cañizares.
Madrid. Real Academia Española

respeta Verdi los personajes secundarios: la serena sobriedad del Padre Guardián o la alegre y tosca ingenuidad del hermano Melitón están perfectamente expresadas en la ópera. Acaso el mayor realce dado a Preciosilla, que aparece ahora como figura de cierta importancia, no esté en la línea trazada por Rivas (la música de Verdi a ella dedicada no es de excesiva calidad), pero tomada en su conjunto, la ópera ofrece una traslación de nuestro drama que pone de manifiesto todo su potencial lírico y dramático y que constituye una notable aportación y un enriquecimiento a la creación de don Ángel de Saavedra [5].

Cuando *La forza del destino* se estrenó en el Teatro Real de Madrid el 21 de febrero de 1863 asistieron al acontecimiento Verdi y el duque de Rivas. El triunfo fue inmenso, pero a nuestro autor no le gustó la adaptación italiana [6]. Y, sin embargo, hoy día, el melodrama de Verdi permanece en el repertorio de todos los grandes teatros de ópera del mundo. El cotejo de ambas obras resulta una experiencia verdaderamente interesante.

«EL DESENGAÑO EN UN SUEÑO»

El duque de Rivas sintió por esta obra una especial predilección. No tuvo éxito en su tiempo y ha permanecido casi olvidada hasta nuestros días. Sin embargo, *El desengaño en un sueño* es obra de no poco interés y ha despertado un movimiento de cierta curiosidad, por lo

---

[5]   Aunque todavía no se ha escrito el trabajo definitivo sobre la relación entre la obra española y la italiana, los ensayos de Sacks y Sedwick son intentos no despreciables. Cfr.: Z. Sacks: *Verdi and Spanish Romantic Drama,* en *Hispania,* vol. XXVII, 1944, y B. F. Sedwick: *Rivas' «Don Alvaro» and Verdi's «La forza del destino»,* Modern Languages Quaterly, vol. XVI, 1955.

[6]   Sobre el estreno madrileño de la obra de Verdi cfr.: José Subirá: *Historia y anecdotario del Teatro Real,* Madrid, 1949, págs. 156-159.

que respecta a sus fuentes sobre todo, en algunos hispanistas extranjeros.

La trama es sencilla. En una isla del Mediterráneo vive el joven Lisardo, a quien su padre, Marcolán, tiene apartado del mundo. El joven desea salir de la isla, conocer el amor, la riqueza y el poder. Su padre, con ayuda de la magia, le sume en un sueño en el que Lisardo va viviendo todo aquello que había deseado hasta alcanzar la dignidad real. Pero, al mismo tiempo, se ve inmerso en un mundo del que la envidia, la traición y la angustia forman parte insoslayable. Cuando está a punto de perecer termina el sueño y el joven no querrá ya saber nada del mundo al que antes ansiaba escapar.

De «drama fantástico» lo calificó su autor. Parece evidente que Calderón con *La vida es sueño* y Shakespeare, a quien el duque leyó profusamente en su destierro de Malta, a través de *La tempestad, Hamlet* y *Macbeth* estuvieron muy presentes en el ánimo del dramaturgo al realizar su obra. Sin embargo, el hispanista Arturo Farinelli, en un estudio titulado *«El sueño, maestro de la vida en dos dramas de Grillparzer y del duque de Rivas»* [7], señala que la obra española está basada en otra austriaca de Franz Grillparzer titulada *Der Traum ein Leben (El sueño es vida)*. No podemos extendernos aquí en las razones aducidas por Farinelli, pero éstas no son muy convincentes. De hecho, existen coincidencias entre ambos dramas, pero parece casi imposible que Rivas, que no hablaba alemán, conociese la obra de Grillparzer. Más bien es probable que el escritor austriaco, que era un entusiasta hispanista *(entre otras obras suyas figura La judía de Toledo)* y poseía una magnífica biblioteca de libros españoles, hubiese tomado el tema de otra obra anterior que también pudo haber conocido el duque. Allison Peers

---

[7] Recogido en *Divagaciones hispánicas,* vol. I, págs. 211-224, Barcelona, 1936.

afirma que la fuente del drama español se halla en una comedia de magia de autor anónimo llamada *Sueños hay que lecciones son o Efectos del desengaño* [8]. Esta obra considerada como del siglo XVIII, pudo haber llegado a manos de Grillparzer, pues se conocen dos ediciones de la misma realizadas a comienzos del siglo XIX; la posible fuente que da el propio dramaturgo austriaco para su obra *El sueño es vida,* el relato breve de Voltaire *Le blanc et le noir,* no guarda con ella sino una relación bastante vaga.

Sea como fuere, el hecho es que, más que en un pasaje concreto (acaso en el de las razones que los padres de ambos protagonistas exponen para no dejar en libertad a sus hijos), *La vida es sueño* está incidiendo continuamente en la obra de Rivas, incluso en las resonancias de la versificación, como puede comprobarse en las décimas de Lisardo en el primer acto del drama que comienzan: «¿Es vida, ¡triste de mí!»

La deuda para con Shakespeare no es menos evidente. En el acto III la sombra de *Hamlet,* pero sobre todo de *Macbeth,* está siempre presente. El motivo de la mancha de sangre en la mano que cree ver Lisardo al principio del acto, es exactamente el mismo que aparece en Macbeth; en ambas obras el protagonista asesina al rey mientras duerme y usurpa su trono. La escena de la bruja trae un eco inconfundible de la tragedia shakespeariana. De *Hamlet* está tomado el tema de la copa envenenada y también el entierro de Zora y la intervención del sepulturero y de Lisardo, escena ésta muy semejante a la del entierro de Ofelia en la que el príncipe danés, que acaba de regresar de Inglaterra, ofrece unas violentas protestas de amor muy semejantes a las del personaje del drama español.

Pero estas reminiscencias literarias están perfectamente integradas y asimiladas en el contexto general de

---

[8] Cfr. Peers: *Historia del movimiento romántico español,* 2 vols., Madrid, 1954.

la obra. En realidad, *El desengaño en un sueño* es un eslabón más de la comedia de magia del que tantos y tantos ejemplos encontramos en la literatura española y que fue muy de la complacencia del público hasta bien entrado el siglo XIX. Tal vez pueda considerarse el magnífico cuento del deán de Santiago con don Yllán de Toledo de *El conde Lucanor* como el primer antecedente de las obras de magia de nuestras letras.

Dado que se trata de una obra simbólica, se podrían buscar en los diferentes personajes del drama los arquetipos de la conciencia del hombre. En este sentido, podría considerarse la relación paterno-filial entre Marcolán y Lisardo como una lucha generacional entre el espíritu conservador y el revolucionario que termina con el total triunfo del primero en una especie de castración patriarcal; la bella e inocente Zora simbolizaría la virgen deseada, mientras que la reina asumiría la función materna —el complejo de Edipo— que arrastraría a Lisardo a desear la muerte del padre —en este caso el rey— y ocupar su lugar, y ello a través del poder fálico que simboliza el puñal. Por último, Arbolán constituiría la proyección del propio ego, que es siempre superior a nosotros mismos y que sin duda tememos asumir por miedo al fracaso [9].

Desde otra perspectiva, el drama cobra una sorprendente originalidad y aun modernidad si lo consideramos como el triunfo de la quietud, la intimidad y la sencillez, es decir, del primitivismo, sobre la acción, la escalada social y la complejidad de la vida pública, es decir, de lo que, cada vez más impropiamente, conocemos como civilización. Porque *El desengaño en un sueño* no es sino una variante más del tan conocido y antiguo tema del «Beatus ille» horaciano; variante dramatizada y construida, y de nuevo insistimos en este aspecto,

---

[9] Una interpretación psicoanalítica del drama puede encontrarse en el amplio artículo de Rupert. C. Allen *An archetypal analysis of Rivas' «El desengaño en un sueño»*, B. H. S., XLV, 1968, págs. 201-215.

según la mentalidad de la época en que fue escrita, según un modo de ser, pensar y sentir propios de un romanticismo que ya ha pasado su juvenil esplendor, de un romanticismo casi tardío.

Desde el punto de vista formal, la obra de Rivas presenta una enorme complejidad de montaje, con infinidad de cambios escénicos, multitud de personajes, transformaciones mágicas y toda clase de ingeniosidades teatrales que pondrían a prueba la imaginación de un director de escena [10]. Y si bien algunas de las escenas resultan, a nuestros ojos de hoy, un tanto ingenuas —el anillo de la bruja que hace invisible a Lisardo, la aparición del genio del mal rodeado de bandoleros con olor a azufre— el conjunto es de un colorido, variedad y eficacia en la construcción dramática verdaderamente notables. El empleo de la polimetría, de un lenguaje casi siempre sencillo y elegante —la versificación es, por lo general, muy fluida— y de situaciones siempre nuevas pero nunca discordantes, da a este drama simbólico una sensación de equilibrio y madurez, de prudencia y armonía que parecen recrear la atmósfera de sabiduría y de calma final de *La tempestad,* de Shakespeare. *El desengaño en un sueño* es el perfecto complemento de *Don Álvaro,* la otra cara de la moneda dramática de don Ángel de Saavedra.

## LA PRESENTE EDICIÓN

Tanto para *Don Álvaro o La fuerza del sino* como para *El desengaño en un sueño* hemos tomado como base la edición de las *Obras completas* de 1854-1855, que fueron preparadas y revisadas por el autor. En el caso

---

[10] A pesar del interés mostrado por su autor, la obra no llegó a representarse en vida del duque de Rivas. Su estreno no tuvo lugar hasta 1875, debido precisamente a las dificultades de montaje, que la hacían parecer irrepresentable.

de *Don Álvaro* presenta algunas alteraciones con respecto a la primera edición de 1835, pero es la de 1854 la que el duque de Rivas consideró como definitiva. Hemos subsanado algunas erratas y realizado los cambios necesarios en la puntuación para adecuarla a las normas actuales.

Carlos  Ruiz Silva.

# SELECCIÓN BIBLIOGRÁFICA

EDICIONES COMPLETAS

*Obras completas,* 5 vols., Madrid, Biblioteca Nueva, 1854-1855.
*Obras completas,* 2 vols., Barcelona, Montaner y Simón, 1884.
*Obras completas,* 7 vols., Madrid, Rivadeneyra, 1894-1904.
*Obras completas,* 3 vols., ed. y prólogo de Jorge Campos, Madrid, B. A. E., 1957.

EDICIONES DE «DON ÁLVARO O LA FUERZA DEL SINO»

Ed. Imprenta de D. Tomás Jordán, Madrid, 1835.
Ed. C. Winter y E. Williams, Chicago, 1928.
Ed. E. Templin y M. Rosenberg, Nueva York, 1928.
Ed. Alberto Sánchez, Salamanca, Anaya, 1972.
Ed. Casalduero y Blecua, Barcelona, Labor, 1974.
Ed. R. Navas Ruiz, Madrid, Espasa-Calpe, 1975.

ESTUDIOS

ADAMS. Nicholson: *«The extent of the Duke of Rivas' Romanticism»,* en *Homenaje a Rodríguez-Moñino,* t. I, págs. 1-7, Madrid, Castalia, 1966.
ALLEN, Rupert: *An archetypal analysis of Rivas' «El desengaño en un sueño»,* B. H. S., 1968. págs. 201-215.
AZORIN: *Rivas y Larra, Razón social del Romanticismo en España,* Madrid, Renacimiento, 1916.
BOUSSAGOL, Gabriel: *Angel de Saavedra, Duc de Rivas. Sa vie, son oeuvre poetique,* Toulouse, 1926.
CASALDUERO, Joaquín: *Don Alvaro o el destino como fuerza,* en *Estudios sobre el Teatro Español,* págs. 217-258, Madrid, Gredos, 1962.
GONZALEZ RUIZ, Nicolás: *El duque de Rivas o la fuerza del sino. El hombre y su época,* Madrid, 1944 (2.ª ed.).

O'CONNELL, R. B.: *Rivas' «El desengaño en un sueño», and Grillparzer's, «Der Traum ein Leben»*, en *Philological Quarterly*, State University of Iowa, vol. XL, 1961.

PEERS, E. Allison: *Ángel de Saavedra, duque de Rivas. A Critical Study*, Nueva York-París, 1923.

PEERS, E. Allison: *Historia del movimiento romántico español*, Madrid, Gredos, 1954, 2 vols.

RUIZ RAMON, F.: *Historia del teatro español*, Madrid, Alianza, 1967.

SACK, Z.: *Verdi and Spanish Romantic Drama*, en *Hispania*, XXVII, 1944.

SEDWICK, B.: *Rivas' «Don Álvaro» and Verdi's «La forza del destino»*, M. L. Q., XVI, 1955.

VALBUENA, A.: *Historia del teatro español*, Barcelona, Noguer, 1956.

# DON ÁLVARO

## o

# LA FUERZA DEL SINO

## DRAMA ORIGINAL EN CINCO JORNADAS, Y EN PROSA Y VERSO

AL EXCMO. SR. D. ANTONIO ALCALÁ GALIANO, *en prueba de constante y leal amistad en próspera y adversa fortuna.*

ÁNGEL DE SAAVEDRA, DUQUE DE RIVAS.

## PERSONAS

DON ÁLVARO.
EL MARQUES DE CALATRAVA.
DON CARLOS DE VARGAS, *su hijo.*
DON ALFONSO DE VARGAS, *ídem.*
DOÑA LEONOR, *su hija.*
CURRA, *criada.*
PRECIOSILLA, *gitana.*
UN CANONIGO.
EL PADRE GUARDIÁN DEL CONVENTO DE LOS ÁNGELES.
EL HERMANO MELITON, *portero del mismo.*
PEDRAZA Y OTROS OFICIALES.
UN CIRUJANO DE EJERCITO.
UN CAPELLÁN DE REGIMIENTO.
UN ALCALDE.
UN ESTUDIANTE.
UN MAJO.
MESONERO.
MESONERA.
LA MOZA DEL MESÓN.
EL TIO TRABUCO, *arriero.*
EL TIO PACO, *aguador.*
EL CAPITÁN PREBOSTE.
UN SARGENTO.
UN ORDENANZA A CABALLO.
DOS HABITANTES DE SEVILLA.
SOLDADOS ESPAÑOLES, ARRIEROS, LUGAREÑOS Y LUGAREÑAS.

Los trajes son los que usaban a mediados del siglo pasado [1]

Este drama se estrenó en Madrid en el teatro del Príncipe la noche del día 22 de marzo de 1835; desempeñando los principales papeles la señora Concepción Rodríguez, y los señores Luna, Romea, Guzmán, etc.

---

[1] Es decir, el siglo XVIII.

# JORNADA PRIMERA

## LA ESCENA ES EN SEVILLA Y SUS ALREDEDORES

La escena representa la entrada del antiguo puente de barcas de Triana, el que estará practicable a la derecha. En primer término al mismo lado un aguaducho, o barraca de tablas y lonas, con un letrero que diga: *Agua de Tomares* [2]; dentro habrá un mostrador rústico con cuatro grandes cántaros, macetas de flores, vasos, un anafre con una cafetera de hoja de lata, y una bandeja con azucarillos. Delante del aguaducho habrá bancos de pino. Al fondo se descubrirá de lejos parte del arrabal de Triana, la huerta de los Remedios con sus altos cipreses, el río y varios barcos en él, con flámulas y gallardetes. A la izquierda se verá en lontananza la alameda. Varios habitantes de Sevilla cruzarán en todas direcciones durante la escena. El cielo demostrará el ponerse el sol en una tarde de julio, y al descorrerse el telón aparecerán: EL TIO PACO detrás del mostrador en mangas de camisa; EL OFICIAL bebiendo un vaso de agua, y de pie; PRECIOSILLA a su lado templando una guitarra; EL MAJO y los DOS HABITANTES DE SEVILLA sentados en los bancos

## ESCENA PRIMERA

OFICIAL.—Vamos, Preciosilla, cántanos la rondeña. Pronto, pronto: ya está bien templada.

PRECIOSILLA.—Señorito, no sea su merced tan súpito. Deme antes esa mano, y le diré la buenaventura.

OFICIAL.—Quita, que no quiero tus zalamerías.

---

[2]  *Tomares,* localidad cercana a Sevilla, famosa por la excelencia de su agua.

Aunque efectivamente tuvieras la habilidad de decirme lo que me ha de suceder, no quisiera oírtelo... Sí, casi siempre conviene el ignorarlo.

MAJO.—*(Levantándose.)* Pues yo quiero que me diga la buenaventura esta prenda. He aquí mi mano.

PRECIOSILLA.—Retire usted allá esa porquería... Jesús, ni verla quiero, no sea que se encele aquella niña de los ojos grandes.

MAJO.—*(Sentándose.)* ¡Qué se ha de encelar de ti, pendón!

PRECIOSILLA.—Vaya, saleroso, no se cargue usted de estera; [3] convídeme a alguna cosita.

MAJO.—Tío Paco, dele usted un vaso de agua a esta criatura, por mi cuenta.

PRECIOSILLA.—¿Y con panal?

OFICIAL.—Sí, y después que te refresques el garguero y que te endulces la boca, nos cantarás las corraleras.

> *(El aguador sirve un vaso de agua con panal a* PRECIOSILLA, *y* EL OFICIAL *se sienta junto al* MAJO.)

HABITANTE 1.º—Hola; aquí viene el señor canónigo.


## ESCENA II

CANONIGO.—Buenas tardes, caballeros.

HABITANTE 2.º—Temíamos no tener la dicha de ver a su merced esta tarde, señor canónigo.

CANONIGO.—*(Sentándose y limpiándose el sudor.)* ¿Qué persona de buen gusto, viviendo en Sevilla, puede dejar de venir todas las tardes de verano a beber la deliciosa agua de Tomares, que con tanta limpieza y pulcritud nos da el tío Paco, y a ver un ratito este puente de Triana, que es lo mejor del mundo?

HABITANTE 1.º—Como ya se está poniendo el sol...

CANONIGO.—Tío Paco, un vasito de la fresca.

---

[3] *Cargarse de estera,* 'impacientarse'.

TÍO PACO.—Está usía muy sudado; en descansando un poquito le daré el refrigerio.

MAJO.—Dale a su señoría el agua templada.

CANÓNIGO.—No, que hace mucho calor.

MAJO.—Pues yo templada la he bebido, para tener el pecho suave, y poder entonar el rosario por el barrio de la Borcinería, que a mí me toca esta noche.

OFICIAL.—Para suavizar el pecho, mejor es un trago de aguardiente.

MAJO.—El aguardiente es bueno para sosegarlo después de haber cantado la letanía.

OFICIAL.—Yo lo tomo antes y después de mandar el ejercicio.

PRECIOSILLA.—(*Habrá estado punteando la guitarra, y dirá al* MAJO): Oiga usted, rumboso, ¿y cantará usted esta noche la letanía delante del balcón de aquella persona?...

CANÓNIGO.—Las cosas santas se han de tratar santamente. Vamos. ¿Y qué tal los toros de ayer?

MAJO.—El toro berrendo de Utrera, salió un buen bicho, muy pegajoso... Demasiado.

HABITANTE 1.º—Como que se me figura que le tuvo usted asco.

MAJO.—Compadre, alto allá, que yo soy muy duro de estómago... aquí está mi capa *(Enseña un desgarrón.)*, diciendo por esta boca, que no anduvo muy lejos.

HABITANTE 2.º—No fue la corrida tan buena como la anterior.

PRECIOSILLA.—Como que ha faltado en ella don Álvaro el indiano, que a caballo y a pie es el mejor torero que tiene España.

MAJO.—Es verdad que es todo un hombre, muy duro con el ganado, y muy echado adelante.

PRECIOSILLA.—Y muy buen mozo

HABITANTE 1.º—Y ¿por qué no se presentaría ayer en la plaza?

OFICIAL.—Harto tenía que hacer con estarse llorando el mal fin de sus amores.

MAJO.—Pues qué, ¿lo ha plantado ya la hija del señor marqués?...

OFICIAL.—No: doña Leonor no lo ha plantado a él, pero el marqués la ha trasplantado a ella.

HABITANTE 2.º—¿Cómo?...

HABITANTE 1.º—Amigo, el señor marqués de Calatrava tiene mucho copete, y sobrada vanidad para permitir que un advenedizo sea su yerno.

OFICIAL.—Y ¿qué más podía apetecer su señoría, que el ver casada a su hija (que con todos sus pergaminos está muerta de hambre), con un hombre riquísimo, y cuyos modales están pregonando que es un caballero?

PRECIOSILLA.—Si los señores de Sevilla son vanidad y pobreza todo en una pieza. Don Álvaro es digno de ser marido de una emperadora... ¡Qué gallardo!... ¡qué formal y qué generoso!... Hace pocos días que le dije la buenaventura (y por cierto no es buena la que le espera si las rayas de la mano no mienten), y me dio una onza de oro como un sol de mediodía.

TIO PACO.—Cuantas veces viene aquí a beber me pone sobre el mostrador una peseta columnaria.

MAJO.—¡Y vaya un hombre valiente! Cuando en la Alameda vieja le salieron aquella noche los siete hombres más duros que tiene Sevilla, metió mano, y me los acorraló a todos contra las tapias del picadero.

OFICIAL.—Y en el desafío que tuvo con el capitán de artillería se portó como un caballero.

PRECIOSILLA.—El marqués de Calatrava es un vejete tan ruin, que por no aflojar la mosca, y por no gastar...

OFICIAL.—Lo que debía hacer don Álvaro era darle una paliza que...

CANONIGO.—Paso, paso, señor militar. Los padres tienen derecho de casar a sus hijas con quien les convenga.

OFICIAL.—¿Y por qué no le ha de convenir don Álvaro? ¿Porque no ha nacido en Sevilla?... Fuera de Sevilla nacen también caballeros.

CANONIGO.—Fuera de Sevilla nacen también caballeros, sí señor; pero... ¿lo es don Alvaro?... Sólo sabe-

mos que ha venido de Indias hace dos meses, y que ha
traído dos negros y mucho dinero... Pero ¿quién es?...

HABITANTE 1.º—Se dicen tantas y tales cosas de él...

HABITANTE 2.º—Es un ente muy misterioso.

TÍO PACO.—La otra tarde estuvieron aquí unos señores hablando de lo mismo, y uno de ellos dijo que el
tal don Álvaro había hecho sus riquezas siendo pirata...

MAJO.—¡Jesucristo!

TÍO PACO.—Y otro, que don Álvaro era hijo bastardo
de un grande de España, y de una reina mora...

OFICIAL.—¡Qué disparate!

TÍO PACO.—Y luego dijeron que no, que era... no lo
puedo declarar... finca... o brinca... una cosa así... así
como... una cosa muy grande allá de la otra banda.

OFICIAL.—¿Inca?

TÍO PACO.—Sí, señor, eso, Inca... Inca.

CANONIGO.—Calle usted, tío Paco, no diga sandeces.

TÍO PACO.—Yo nada digo, ni me meto en honduras;
para mí cada uno es hijo de sus obras, y en siendo buen
cristiano y caritativo...

PRECIOSILLA.—Y generoso y galán.

OFICIAL.—El vejete roñoso del marqués de Calatrava
hace muy mal en negarle su hija.

CANONIGO.—Señor militar, el señor márqués hace
muy bien. El caso es sencillísimo. Don Álvaro llegó
hace dos meses, nadie sabe quién es. Ha pedido en
casamiento a doña Leonor, y el marqués, no juzgándolo
buen partido para su hija, se la ha negado. Parece que
la señorita estaba encaprichadilla, fascinada, y el padre
la ha llevado al campo, a la hacienda que tiene en el
Aljarafe, para distraerla. En todo lo cual el señor marqués se ha comportado como persona prudente.

OFICIAL.—Y don Álvaro, ¿qué hará?

CANONIGO.—Para acertarlo debe buscar otra novia:
porque si insiste en sus descabelladas pretensiones, se
expone a que los hijos del señor marqués vengan, el uno
de la universidad, y el otro del regimiento, a sacarle de
los cascos los amores de doña Leonor.

OFICIAL.—Muy partidario soy de don Álvaro, aunque no le he hablado en mi vida, y sentiría verlo empeñado en un lance con don Carlos, el hijo mayorazgo del marqués. Le he visto el mes pasado en Barcelona, y he oído contar los dos últimos desafíos que ha tenido ya: y se le puede ayunar [4].

CANÓNIGO.—Es uno de los oficiales más valientes del regimiento de Guardias Españolas, donde no se chancea en esto de lances de honor.

HABITANTE 1.º—Pues el hijo segundo del señor marqués, el don Alfonso, no le va en zaga. Mi primo, que acaba de llegar de Salamanca, me ha dicho que es el coco de la universidad, más espadachín que estudiante y que tiene metidos en un puño a los matones sopistas [5].

MAJO.—¿Y desde cuándo está fuera de Sevilla la señorita doña Leonor?

OFICIAL.—Hace cuatro días que se la llevó el padre a su hacienda, sacándola de aquí a las cinco de la mañana, después de haber estado toda la noche hecha la casa un infierno.

PRECIOSILLA.—¡Pobre niña!... ¡Qué linda que es, y qué salada!... Negra suerte le espera... Mi madre le dijo la buenaventura, recién nacida, y siempre que la nombra se le saltan las lágrimas... Pues el generoso don Álvaro...

HABITANTE 1.º—En nombrando el ruin de Roma, luego asoma... allí viene don Álvaro

## ESCENA III

*Empieza a anochecer, y se va oscureciendo el teatro.* DON ÁLVARO *sale embozado en una capa de seda, con un gran sombrero blanco, botines y espuelas: cruza lentamente la escena mirando con dignidad y melancolía a todos lados, y se va por el puente. Todos lo observan en gran silencio*

---

[4] *ayunarle a uno,* 'temerle, respetarle'.
[5] *sopistas,* 'estudiantes pobres dados a la picaresca'.

## ESCENA IV

MAJO.—¿A dónde irá a estas horas?

CANONIGO.—A tomar el fresco al Altozano.

TIO PACO.—Dios vaya con él.

MILITAR.—¿A que va al Aljarafe?

TIO PACO.—Yo no sé, pero como estoy siempre aquí de día y de noche, soy un vigilante centinela de cuanto pasa por esta puente... Hace tres días que a media tarde pasa por ella hacia allá un negro con dos caballos de mano, y que don Álvaro pasa a estas horas; y luego a las cinco de la mañana vuelve a pasar hacia acá, siempre a pie, y como media hora después pasa el negro con los mismos caballos llenos de polvo y de sudor.

CANONIGO.—¿Cómo?... ¿Qué me cuenta usted, tío Paco?...

TIO PACO.—Yo nada; digo lo que he visto; y esta tarde ya ha pasado el negro, y hoy no lleva dos caballos, sino tres.

HABITANTE 1.º—Lo que es atravesar el puente hacia allá a estas horas, he visto yo a don Álvaro tres tardes seguidas.

MAJO.—Y yo he visto ayer a la salida de Triana al negro con los caballos.

HABITANTE 2.º—Y anoche viniendo yo de San Juan de Alfarache, me paré en medio del olivar a apretar las cinchas a mi caballo, y pasó a mi lado, sin verme y a escape, don Álvaro, como alma que llevan los demonios, y detrás iba el negro. Los conocí por la jaca torda, que no se puede despintar... ¡cada relámpago que daban las herraduras!...

CANONIGO.—_(Levantándose y aparte.)_ ¡Hola! ¡hola!... Preciso es dar aviso al señor marqués.

MILITAR.—Me alegraría de que la niña traspusiese [6] una noche con su amante, y dejara al vejete pelándose las barbas.

---

[6] _traspusiese_, 'se fugase'.

CANÓNIGO.—Buenas noches, caballeros: me voy, que
empieza a ser tarde. *(Aparte, yéndose.)* Sería faltar a la
amistad no avisar al instante al marqués de que don
Álvaro le ronda la hacienda. Tal vez podemos evitar
una desgracia.

## ESCENA V

*El teatro representa una sala colgada de damasco, con
retratos de familia, escudos de armas y los adornos que se
estilaban en el siglo pasado* [7], *pero todo deteriorado, y
habrá dos balcones, uno cerrado y otro abierto y practicable, por el que se verá un cielo puro, iluminado por la
luna, y algunas copas de árboles. Se pondrá en medio una
mesa con tapete de damasco, y sobre ella habrá una guitarra, vasos chinescos con flores, y dos candeleros de plata
con velas, únicas luces que alumbrarán la escena. Junto a
la mesa habrá un sillón. Por la izquierda entrará* EL
MARQUES DE CALATRAVA *con una palmatoria en la
mano, y detrás de él* D.ª LEONOR, *y por la derecha entra*
LA CRIADA

MARQUÉS.      *(Abrazando y besando a su hija.)*
              Buenas noches, hija mía;
              hágate una santa el cielo.
              Adiós, mi amor, mi consuelo,
              mi esperanza, mi alegría.
              No dirás que no es galán
              tu padre. No descansara
              si hasta aquí no te alumbrara
              todas las noches... Están
              abiertos estos balcones        *(Los cierra.)*
              y entra relente... Leonor...
              ¿Nada me dice tu amor?
              ¿Por qué tan triste te pones?
D.ª LEONOR.   *(Abatida y turbada.)*
              Buenas noches, padre mío.

-----
[7]   De nuevo se refiere al siglo XVIII.

MARQUES.      Allá para Navidad
              iremos a la ciudad:
              cuando empiece el tiempo frío.
              Y para entonces traeremos
              al estudiante, y también
              al capitán. Que les den
              permiso a los dos haremos.
              ¿No tienes gran impaciencia
              por abrazarlos?
D.ª LEONOR.                    ¿Pues no?
              ¿Qué más puedo anhelar yo?
MARQUES.      Los dos lograrán licencia.
              Ambos tienen mano franca,
              condición que los abona.
              y Carlos, de Barcelona,
              y Alfonso, de Salamanca,
              ricos presentes te harán.
              Escríbeles tú, tontilla,
              y algo que no haya en Sevilla
              pídeles, y lo traerán.
D.ª LEONOR.   Dejarlo será mejor
              a su gusto delicado.
MARQUES.      Lo tienen, y muy sobrado:
              como tú quieras, Leonor.
CURRA.        Si como a usted, señorita,
              carta blanca se me diera,
              a don Carlos le pidiera
              alguna bata bonita
              de Francia. Y una cadena
              con su broche de diamante
              al señorito estudiante,
              que en Madrid la hallará buena.
MARQUES.      Lo que gustes, hija mía.
              Sabes que el ídolo eres
              de tu padre... ¿No me quieres?
                        (La abraza y besa tiernamente.)
D.ª LEONOR.   ¡Padre!... ¡Señor!...          (Afligida.)
MARQUES.                      La alegría

vuelva a ti, prenda del alma;
piensa que tu padre soy,
y que de continuo estoy
soñando tu bien... La calma
recobra, niña... En verdad
desde que estamos aquí
estoy contento de ti;
veo la tranquilidad
que con la campestre vida
va renaciendo en tu pecho,
y me tienes satisfecho;
sí, lo estoy mucho, querida.
Ya se me ha olvidado todo;
eres muchacha obediente,
y yo seré diligente
en darte un buen acomodo.
Sí, mi vida... ¿quién mejor
sabrá lo que te conviene,
que un tierno padre, que tiene
por ti el delirio mayor?

D.ª LEONOR   *(Echándose en brazos de su padre con gran*
*desconsuelo.)*
¡Padre amado!... ¡Padre mío!

MARQUÉS.     Basta, basta... ¿Qué te agita?
*(Con gran ternura.)*
Yo te adoro, Leonorcita;
no llores... ¡Qué desvarío!

D.ª LEONOR.  ¡Padre!... ¡Padre!

MARQUÉS.     *(Acariciándola y deshaciéndose de sus*
*brazos.)*
Adiós, mi bien.
A dormir, y no lloremos.
Tus cariñosos extremos
el cielo bendiga, amén.
*(Vase* EL MARQUÉS, *y queda* LEONOR *muy*
*abatida y llorosa sentada en el sillón.)*

## ESCENA VI

CURRA *va detrás del* MARQUES, *cierra la puerta
por donde aquél se ha ido y vuelve cerca de* LEONOR

CURRA.        ¡Gracias a Dios!... me temí
              que todito se enredase,
              y que señor se quedase
              hasta la mañana aquí.
              ¡Qué listo cerró el balcón!...
              Que por el del palomar
              vamos las dos a volar
              le dijo su corazón.
              Abrirlo sea lo primero;        (*Ábrelo.*)
              ahora lo segundo es
              cerrar las maletas. Pues
              salgan ya de su agujero.
              (*Saca* CURRA *unas maletas y ropa, y se
              pone a arreglarlo todo sin que en ello
              repare* DOÑA LEONOR.)
D.ª LEONOR.   ¡Infeliz de mí!... ¡Dios mío!
              ¿Por qué un amoroso padre,
              que por mí tanto desvelo
              tiene, y cariño tan grande,
              se ha de oponer tenazmente
              (¡ay, el alma se me parte!...)
              a que yo dichosa sea,
              y pueda feliz llamarme?...
              ¿Cómo, quien tanto me quiere,
              puede tan cruel mostrarse?
              Más dulce mi suerte fuera
              si aun me viviera mi madre.
CURRA.        ¿Si viviera la señora?...
              usted está delirante.
              Más vana que señor era;
              señor al cabo es un ángel.

¡Pero ella!... Un genio tenía
y un copete... Dios nos guarde.
Los señores de esta tierra
son todos de un mismo talle.
Y si alguna señorita
busca un novio que le cuadre,
como no esté en pergaminos
envuelto, levantan tales
alaridos... Mas ¿qué importa
cuando hay decisión bastante?
Pero no perdamos tiempo;
venga usted, venga a ayudarme,
porque yo no puedo sola...

D.ª LEONOR.   ¡Ay, Curra!... ¡Si penetrases
cómo tengo el alma! Fuerza
me falta hasta para alzarme
de esta silla... ¡Curra, amiga!
lo confieso, no lo extrañes,
no me resuelvo, imposible...
Es imposible. ¡Ah!... ¡mi padre!
sus palabras cariñosas,
sus extremos, sus afanes,
sus besos y sus abrazos,
eran agudos puñales
que el pecho me atravesaban.
Si se queda un solo instante
no hubiera más resistido...
Ya iba a sus pies a arrojarme,
y confundida, aterrada,
mi proyecto a revelarle;
y a morir, ansiando sólo
que su perdón me acordase.

CURRA.   ¡Pues hubiéramos quedado
frescas, y echado un buen lance!
Mañana vería usted
revolcándose en su sangre
con la tapa de los sesos
levantada, al arrogante,

al enamorado, al noble
don Álvaro. O arrastrarle
como un malhechor, atado
por entre estos olivares
a la cárcel de Sevilla;
y allá para Navidades
acaso, acaso en la horca.

D.ª LEONOR.   ¡Ay, Curra!... El alma me partes.

CURRA.        Y todo esto, señorita,
porque la desgracia grande
tuvo el infeliz de veros,
y necio de enamorarse
de quien no le corresponde,
ni resolución bastante
tiene para...

D.ª LEONOR.                Basta, Curra;
no mi pecho despedaces.
¿Yo a su amor no correspondo?
Que le correspondo sabes...
Por él mi casa y familia,
mis hermanos y mi padre
voy a abandonar, y sola...

CURRA.        Sola no, que yo soy alguien,
y también Antonio va,
y nunca en ninguna parte
la dejaremos... ¡Jesús!

D.ª LEONOR.   ¿Y mañana?

CURRA.                    Día grande.
Usted la adorada esposa
será del más adorable,
rico y lindo caballero
que puede en el mundo hallarse,
y yo la mujer de Antonio:
y a ver tierras muy distantes
iremos ambas... ¡qué bueno!

D.ª LEONOR.   ¿Y mi anciano y tierno padre?

CURRA.        ¿Quién?... ¿Señor?... rabiará un poco,
pateará, contará el lance

al Capitán general
con sus pelos y señales;
fastidiará al Asistente,
y también a sus compadres
el canónigo, el jurado,
y los vejetes maestrantes;
saldrán mil requisitorias
para buscarnos en balde,
cuando nosotras estemos
ya seguritas en Flandes.
Desde allí escribirá usted,
y comenzará a templarse
señor, y a los nueve meses,
cuando sepa hay un infante,
que tiene sus mismos ojos,
empezará a consolarse.
Y nosotras chapurrando,
que no nos entienda nadie,
volveremos de allí a poco,
a que con festejos grandes
nos reciban, y todito
será banquetes y bailes.

D.ª LEONOR. ¿Y mis hermanos del alma?

CURRA.      ¡Toma! ¡Toma!... Cuando agarren
del generoso cuñado,
uno con que hacer alarde
de vistosos uniformes
y con que rendir beldades;
y el otro para libracos
merendonas y truhanes,
reventarán de alegría.

D.ª LEONOR. No corre en tus venas sangre.
¡Jesús, y qué cosas tienes!

CURRA.      Porque digo las verdades.

D.ª LEONOR. ¡Ay desdichada de mí!

CURRA.      Desdicha por cierto grande
el ser adorado dueño
del mejor de los galanes.

                    Pero vamos, señorita,
                    ayúdeme usted, que es tarde.
D.ª LEONOR.    Sí, tarde es, y aún no parece
                    don Álvaro... ¡Oh, si faltase
                    esta noche!... ¡Ojalá!... ¡Cielos!...
                    Que jamás estos umbrales
                    hubiera pisado, fuera
                    mejor... No tengo bastante
                    resolución... lo confieso.
                    Es tan duro el alejarse
                    así de su casa... ¡Ay, triste!
                         *(Mira el reloj y sigue en inquietud.)*
                    Las doce han dado... ¡qué tarde
                    es ya, Curra! No, no viene.
                    ¿Habrá en esos olivares
                    tenido algún mal encuentro?
                    Hay siempre en el Aljarafe
                    tan mala gente... Y Antonio
                    ¿estará alerta?
CURRA.                          Indudable
                    es que está de centinela...
D.ª LEONOR.    ¡Curra!... ¿Qué suena?... ¿Escuchaste?
                                    *(Con gran sobresalto.)*
CURRA.        Pisadas son de caballos.
D.ª LEONOR.    ¡Ay! él es...          *(Corre al balcón.)*
CURRA.                        Si que faltase
                    era imposible...
D.ª LEONOR.                    ¡Dios mío! *(Muy agitada.)*
CURRA.        Pecho al agua, y adelante.


## ESCENA VII

DON ÁLVARO *en cuerpo, con una jaquetilla de mangas
perdidas sobre una rica chupa* [8] *de majo, redecilla, calzón
de ante, etc., entra por el balcón y se echa en brazos
de* LEONOR

---

   [8]   *chupa,* 'parte del vestido que cubría el tronco del cuerpo'.

D. Álvaro.    *(Con gran vehemencia.)*
              ¡Ángel consolador del alma mía!...
              ¿Van ya los santos cielos
              a dar corona eterna a mis desvelos?
              Me ahoga la alegría...
              ¿Estamos abrazados
              para no vernos nunca separados?...
              Antes, antes la muerte
              que de ti separarme y que perderte.

D.ª Leonor.   ¡Don Alvaro!                    *(Muy agitada.)*

D. Álvaro.    Mi bien, mi Dios, mi todo [9].
              ¿Qué te agita y te turba de tal modo?
              ¿Te turba el corazón ver que tu amante
              se encuentra en este instante
              más ufano que el sol?... ¡Prenda ado-
                                                      [rada!

D.ª Leonor.   Es ya tan tarde...

D. Álvaro.                        ¿Estábais enojada
              porque tardé en venir? De mi retardo
              no soy culpado, no, dulce señora;
              hace más de una hora
              que despechado aguardo
              por estos alrededores
              la ocasión de llegar, y ya temía
              que de mi adversa estrella los rigores
              hoy deshiciera la esperanza mía.
              Mas no, mi bien, mi gloria, mi consuelo,
              protege nuestro amor el santo cielo,
              y una carrera eterna de ventura,
              próvido a nuestras plantas asegura.
              El tiempo no perdamos.
              ¿Está ya todo listo? Vamos, vamos,

Curra.        Sí: bajo del balcón, Antonio, el guarda,

---

[9]   Compárese el atrevimiento de las expresiones de don Álvaro
con las de Calixto refiriéndose a Melibea en *La Celestina* ante la pregunta de si es cristiano que le hace su criado Sempronio: «¿Yo?
Melibeo soy y a Melibea adoro y en Melibea creo, y a Melibea amo»
(Acto I).

las maletas espera;
las echaré al momento.

*(Va hacia el balcón.)*

D.ª LEONOR. Curra, aguarda,

*(Resuelta.)*

detente:... ¡Ay Dios! ¿No fuera,
don Alvaro, mejor?...

D. ÁLVARO. ¿Qué, encanto

[mío?...

¿Por qué tiempo perder?... La jaca torda,
la que, cual dices tú, los campos borda,
la que tanto te agrada
por su obediencia y brío,
para ti está, mi dueño, enjaezada;
para Curra el overo.
Para mí el alazán gallardo y fiero...
¡Oh, loco estoy de amor y de alegría!
En San Juan de Alfarache, preparado
todo, con gran secreto, lo he dejado.
El sacerdote en el altar espera;
Dios nos bendecirá desde su esfera:
y cuando el nuevo sol en el oriente,
protector de mi estirpe soberana,
numen eterno en la región indiana,
la regia pompa de su trono ostente,
monarca de la luz, padre del día,
yo tu esposo seré, tú esposa mía [10].

D.ª LEONOR. Es tan tarde... ¡Don Álvaro!

D. ÁLVARO. Muchacha,

*(A* CURRA.*)*

¿qué te detiene ya? Corre, despacha;
por el balcón esas maletas, luego...

D.ª LEONOR. Curra, Curra, detente.     *(Fuera de sí.)*
¡Don Alvaro!

---

[10]   Por vez primera en el drama se hace alusión a la alta estirpe del protagonista, hijo de una princesa inca. El sol era el símbolo supremo del imperio inca, de ahí los versos de don Alvaro.

D. ÁLVARO.     ¡Leonor!!!
D.ª LEONOR.                    Dejadlo os ruego
               para mañana!
D. ÁLVARO.                        ¿Qué?
D.ª LEONOR.                              Más fácilmente...
D. ÁLVARO.     *(Demudado y confuso.)*
               ¿Qué es esto, qué, Leonor? ¿Te falta ahora
               resolución?... ¡ay yo desventurado!
D.ª LEONOR.    ¡Don Álvaro! ¡Don Álvaro!!!
D. ÁLVARO.                                    ¡Señora!
D.ª LEONOR.    ¡Ay! me partís el alma...
D. ÁLVARO.                              Destrozado
               tengo yo el corazón... ¿Dónde está,
                                              [dónde,
               vuestro amor, vuestro firme juramento?
               Mal con vuestra palabra corresponde
               tanta irresolución en tal momento.
               Tan súbita mudanza...
               No os conozco, Leonor. ¿Llevóse el
                                              [viento
               de mi delirio toda la esperanza?
               Sí, he cegado en el punto
               en que alboraba el más risueño día.
               Me sacarán difunto
               de aquí, cuando inmortal salir creía.
               Hechicera engañosa,
               ¿la perspectiva hermosa
               que falaz me ofreciste así deshaces?
               ¡Pérfida! ¿Te complaces
               en levantarme al trono del Eterno,
               para después hundirme en el infierno?
               ¿Sólo me resta ya?...
D.ª LEONOR.    *(Echándose en sus brazos.)*
                              No, no, te adoro.
               ¡Don Álvaro!...¡Mi bien!... vamos, sí,
D. ÁLVARO.     ¡Oh mi Leonor!...                 [vamos,
CURRA.                        El tiempo no per-
                                              [damos.

D. ÁLVARO. ¡Mi encanto! ¡Mi tesoro!
(DOÑA LEONOR *muy abatida se apoya en*
*el hombro de* DON ÁLVARO, *con muestras*
*de desmayarse.*)
Mas ¿qué es esto?... ¡ay de mí!... ¡tu mano
[yerta!
Me parece la mano de una muerta...
Frío está tu semblante
como la losa de un sepucro helado...

D.ª LEONOR. ¡Don Álvaro!

D. ÁLVARO. ¡Leonor! *(Pausa.)* Fuerza
[bastante
hay para todo en mí... ¡Desventurado!
La conmoción conozco que te agita,
inocente Leonor. Dios no permita
que por debilidad en tal momento
sigas mis pasos, y mi esposa seas.
Renuncio a tu palabra y juramento;
hachas de muerte las nupciales teas
fueran para los dos... Si no me amas,
como te amo yo a ti... Si arrepentida...

D.ª LEONOR. Mi dulce esposo, con el alma y vida
es tuya tu Leonor; mi dicha fundo
en seguirte hasta el fin del ancho mundo.
Vamos, resuelta estoy, fijé mi suerte;
separarnos podrá sólo la muerte.
*(Van hacia el balcón, cuando de repente se oye*
*ruido, ladridos, y abrir y cerrar puertas.)*

DOÑA LEONOR.—¡Dios mío! ¿Qué ruido es este?
¡Don Álvaro!!!

CURRA.—Parece que han abierto la puerta del patio...
y la de la escalera...

DOÑA LEONOR.—¿Se habrá puesto malo mi padre?...

CURRA.—¡Qué!, no, señora, el ruido viene de otra parte.

DOÑA LEONOR.—¿Habrá llegado alguno de mis hermanos?

DON ÁLVARO.—Vamos, vamos, Leonor, no perdamos
un instante. *(Vuelven hacia el balcón, y de repente se ve*

*por él el resplandor de hachones de viento, y se oye galopar caballos.)*

DOÑA LEONOR.—Somos perdidos... Estamos descubiertos... imposible es la fuga.

DON ÁLVARO.—Serenidad es necesario en todo caso.

CURRA.—La Virgen del Rosario nos valga, y las ánimas benditas... ¿Qué será de mi pobre Antonio? *(Se asoma al balcón y grita.)* Antonio, Antonio.

DON ÁLVARO.—Calla, maldita, no llames la atención hacia este lado; entorna el balcón. *(Se acerca el ruido de puertas y pisadas.)*

DOÑA LEONOR.—¡Ay desdichada de mí!... Don Álvaro, escóndete... aquí... en mi alcoba...

DON ÁLVARO.—*(Resuelto.)* No, yo no me escondo... No te abandono en tal conficto. *(Prepara una pistola.)* Defenderte y salvarte es mi obligación.

DOÑA LEONOR.—*(Asustadísima.)* ¿Qué intentas? ¡ay! retira esa pistola, que me hiela la sangre... Por Dios, suéltala... ¿La dispararás contra mi buen padre?... ¿contra alguno de mis hermanos?... ¿Para matar a alguno de los fieles y antiguos criados de esta casa?

DON ÁLVARO.—*(Profundamente confundido.)* No, no, amor mío... la emplearé en dar fin a mi desventurada vida.

DOÑA LEONOR.—¡Qué horror! ¡Don Álvaro!!!


# ESCENA VIII

*Ábrese la puerta con estrépito después de varios golpes en ella, y entra* EL MARQUÉS *en bata y gorro con un espadín desnudo en la mano, y detrás dos criados mayores con luces*

MARQUÉS.—*(Furioso.)* ¡Vil seductor... hija infame!

DOÑA LEONOR.—*(Arrojándose a los pies de su padre.)* ¡Padre!!! ¡padre!!!

MARQUÉS.—No soy tu padre... aparta... Y tú, vil advenedizo...

DON ÁLVARO.—Vuestra hija es inocente... Yo soy el culpado... Atravesadme el pecho. *(Hinca una rodilla.)*

MARQUÉS.—Tu actitud suplicante manifiesta lo bajo de tu condición...

DON ÁLVARO.—*(Levantándose.)* ¡Señor marqués!... ¡señor marqués!...

MARQUÉS.—*(A su hija.)* Quita, mujer inicua. *(A* CURRA *que le sujeta el brazo.)* ¿Y tú, infeliz, osas tocar a tu señor? *(A los criados.)* Ea, echaos sobre ese infame, sujetadle, atadle...

DON ÁLVARO.—*(Con dignidad.)* Desgraciado del que me pierda el respeto. *(Saca una pistola y la monta.)*

DOÑA LEONOR.—*(Corriendo hacia* DON ÁLVARO.*)* ¡Don Álvaro!... ¿qué vais a hacer?

MARQUÉS.—Echaos sobre él al punto.

DON ÁLVARO.—¡Ay de vuestros criados si se mueven! Vos sólo tenéis derecho para atravesarme el corazón.

MARQUÉS.—¡Tú morir a manos de un caballero! No, morirás a las del verdugo.

DON ÁLVARO.—¡Señor marqués de Calatrava!... Mas ¡ah! no: tenéis derecho para todo... Vuestra hija es inocente... tan pura como el aliento de los ángeles que rodean el trono del Altísimo. La sospecha a que puede dar origen mi presencia aquí a tales horas concluya con mi muerte; salga envolviendo mi cadáver como si fuera mi mortaja... Sí, debo morir... pero a vuestras manos. *(Pone una rodilla en tierra.)* Espero resignado el golpe, no lo resistiré; ya me tenéis desarmado. *(Tira la pistola, que al dar en tierra se dispara y hiere al* MARQUÉS, *que cae moribundo en los brazos de su hija y de los criados, dando un alarido.)*

MARQUÉS.—Muerto soy... ¡Ay de mí!...

DON ÁLVARO.—¡Dios mío! ¡arma funesta! ¡noche terrible!

DOÑA LEONOR.—¡Padre, padre!!!

MARQUÉS.—Aparta; sacadme de aquí... donde muera sin que esta vil me contamine con tal nombre...

DOÑA LEONOR.—¡Padre!...

MARQUÉS.—Yo te maldigo. *(Cae* LEONOR *en brazos de* DON ÁLVARO *que la arrastra hacia el balcón.)*

# JORNADA SEGUNDA

LA ESCENA ES EN LA VILLA DE HORNACHUELOS
Y SUS ALREDEDORES [11]

## ESCENA PRIMERA

*Es de noche, y el teatro representa la cocina de un mesón
de la villa de Hornachuelos. Al frente estará la chimenea y
el hogar. A la izquierda la puerta de entrada: a la derecha
dos puertas practicables. A un lado una mesa larga de pino,
rodeada de asientos toscos, y alumbrado todo por un gran
candilón.* EL MESONERO *y* EL ALCALDE *aparecerán sentados gravemente en el fuego,* LA MESONERA *de rodillas
guisando. Junto a la mesa,* EL ESTUDIANTE *cantando y
tocando la guitarra.* EL ARRIERO *que habla, cribando
cebada en el fondo del teatro.* EL TÍO TRABUCO *tendido en
primer término sobre sus jalmas.* LOS DOS LUGARE-
ÑOS, LAS DOS LUGAREÑAS, LA MOZA *y uno de los*
ARRIEROS, *que no habla, estarán bailando seguidillas. El
otro* ARRIERO, *que no habla, estará sentado junto al*
ESTUDIANTE, *y jaleando a las que bailan. Encima de la
mesa habrá una bota de vino, unos vasos y un frasco de
aguardiente*

---

[11] *Hornachuelos,* población de la provincia de Córdoba situada en
un espléndido paraje agreste.

ESTUDIANTE.—*(Cantando en voz recia al son de la guitarra, y las tres parejas bailando con gran algazara.)*

> Poned en estudiantes
> vuestro cariño,
> que son como discretos
> agradecidos.
> Viva Hornachuelos,
> vivan de sus muchachas
> los ojos negros.
> Dejad a los soldados,
> que es gente mala,
> y así que dan el golpe
> vuelven la espalda.
> Viva Hornachuelos
> vivan de sus muchachas
> los ojos negros.

MESONERA.—*(Poniendo una sartén sobre la mesa.)* Vamos, vamos que se enfría... *(A la criada.)* Pepa, al avío.

ARRIERO.—*(El del cribo.)* Otra coplita.

ESTUDIANTE.—*(Dejando la guitarra.)* Abrenuncio. Antes de todo la cena.

MESONERA.—Y si después quiere la gente seguir bailando y alborotando, váyanse al corral, o la calle, que hay una luna clara como de día. Y dejen en silencio el mesón, que si unos quieren jaleo, otros quieren dormir. Pepa, Pepa... ¿no digo que basta ya de zangoloteo?...

TÍO TRABUCO.—*(Acostado en sus arreos.)* Tía Colasa, usted está en lo cierto. Yo por mí, quiero dormir.

MESONERO.—Sí, ya basta de ruido. Vamos a cenar. Señor alcalde, eche su merced la bendición, y venga a tomar una presita.

ALCALDE.—Se agradece, señor Monipodio.

MESONERA.—Pero acérquese su merced.

ALCALDE.—Que eche la bendición el señor licenciado.

ESTUDIANTE.—Allá voy, y no seré largo, que huele el bacalao a gloria. *In nomine Patri et Filii et Spiritu Sancto.*

TODOS.—Amén. (*Se van acomodando alrededor de la mesa, todos menos* TRABUCO.)

MESONERA.—Tal vez el tomate no estará bastante cocido, y el arroz estará algo duro... Pero con tanta Babilonia no se puede...

ARRIERO.—Está diciendo comedme, comedme.

ESTUDIANTE.—(*Comiendo con ansia.*) Está exquisito... especial; parece ambrosía...

MESONERA.—Alto allá, señor bachiller: la tía Ambrosia no me gana a mí a guisar, ni sirve para descalzarme el zapato, no señor [12].

ARRIERO.—La tía Ambrosia es más puerca que una telaraña.

MESONERA.—La tía Ambrosia es un guiñapo, es un paño de aporrear moscas; se revuelven las tripas de entrar en su mesón, y compararla con mi Colasa no es regular.

ESTUDIANTE.—Ya sé yo que la señora es pulcra, y no lo dije por tanto.

ALCALDE.—En toda la comarca de Hornachuelos no hay una persona más limpia que la señora Colasa, ni un mesón como el del señor Monipodio.

MESONERA.—Como que cuantas comidas de boda se hacen en la villa pasan por estas manos que ha de comer la tierra. Y de las bodas de señores, no le parezca usted, señor bachiller... Cuando se casó el escribano con la hija del regidor...

ESTUDIANTE.—Con que se le puede decir a la señora Colasa, *tu das mihi epulis accumbere divum* [13].

---

[12] *ambrosía*, 'manjar de los dioses'. La confusión sirve para poner de manifiesto, de modo convencional, las diferencias sociales y culturales de los personajes.

[13] Cita tomada de *La Eneida*, de Virgilio, libro I, V, 79, en el que Eolo se dirige a Juno. La cita textual de Virgilio difiere de la de Rivas en que éste añade «mihi». La traducción es: «Tú me concedes compartir el banquete de los dioses».

MESONERA.–Yo no sé latín, pero sé guisar... Señor Alcalde, moje siquiera una sopa.

ALCALDE.–Tomaré, por no despreciar, una cucharadita de gazpacho, si es que lo hay.

MESONERO.–¿Cómo si lo hay?

MESONERA.–¿Pues había de faltar donde yo estoy?... Pepa (*A la* MOZA), anda a traerlo. Está sobre el brocal del pozo, desde media tarde, tomando el fresco. (*Vase la* MOZA.)

ESTUDIANTE.–*(Al* ARRIERO *que está acostado.)* Tío Trabuco, hola, tío Trabuco; ¿no viene usted a hacer la razón?

TIO TRABUCO.–No ceno.

ESTUDIANTE.–¿Ayuna usted?

TIO TRABUCO.–Sí señor, que es viernes.

MESONERO.–Pero un traguito...

TIO TRABUCO.–Venga. (*Le alarga* AL MESONERO *la bota, y bebe un trago* EL TIO TRABUCO.) ¡Jú!!! Esto es zupia [14]. Alárgueme usté, tío Monipodio, el frasco del aguardiente para enjuagarme la boca. *(Bebe y se curruca.) (Entra* LA MOZA *con una fuente de gazpacho.)*

MOZA.–Aquí está la gracia de Dios.

TODOS.–Venga, venga.

ESTUDIANTE.–Parece, señor Alcalde, que esta noche hay mucha gente forastera en Hornachuelos.

ARRIERO.–Las tres posadas están llenas.

ALCALDE.–Como es el jubileo de la Porciúncula [15], y el convento de San Francisco de los Ángeles, que está aquí en el desierto, a media legua corta, es tan famoso... Viene mucha gente a confesarse con el padre Guardián, que es un siervo de Dios.

MESONERA.–Es un santo.

MESONERO.–*(Toma la bota y se pone de pie.)* Jesús; por la buena compañía, y que Dios nos dé salud y pesetas en esta vida, y la gloria en la eterna. *(Bebe.)*

---

[14]  *zupia,* 'vino con posos, de poca calidad'.

[15]  Festividad de la Orden franciscana en la que se ganaba un jubileo.

TODOS.—Amén. *(Pasa la bota de mano en mano.)*

ESTUDIANTE.—*(Después de beber.)* Tío Trabuco, tío Trabuco, ¿está usted con los angelitos?

TÍO TRABUCO.—Con las malditas pulgas y con sus voces de usted, ¿quién puede estar sino con los demonios?

ESTUDIANTE.—Queríamos saber, tío Trabuco, si esa personilla de alfeñique, que ha venido con usted, y que se ha escondido de nosotros, viene a ganar el jubileo.

TÍO TRABUCO.—Yo no sé nunca a lo que van ni vienen los que viajan conmigo.

ESTUDIANTE.—Pero... ¿es gallo, o gallina?

TÍO TRABUCO.—Yo de los viajeros no miro más que la moneda, que ni es hembra ni es macho.

ESTUDIANTE.—Sí, es género epiceno, como si dijéramos hermafrodita... Pero veo que es usted muy taciturno, tío Trabuco.

TÍO TRABUCO.—Nunca gasto saliva en lo que no me importa: y buenas noches, que se me va quedando la lengua dormida, y quiero guardarle el sueño; sonsoniche [16].

ESTUDIANTE.—Pues señor, con el tío Trabuco no hay emboque [17]. Dígame usted, nostrama *(a* LA MESONERA*)*, ¿por qué no ha venido a cenar el tal caballerito?

MESONERA.—Yo no sé.

ESTUDIANTE.—Pero, vamos, ¿es hembra o varón?

MESONERA.—Que sea lo que sea: lo cierto es que le vi el rostro, por más que se lo recataba, cuando se apeó del mulo, y que lo tiene como un sol; y eso que traía los ojos de llorar y de polvo, que daba compasión.

ESTUDIANTE.—¡Oiga!

MESONERA.—Sí señor; y en cuanto se metió en ese cuarto, volviéndome siempre la espalda, me preguntó cuánto había de aquí al convento de los Ángeles, y yo se lo enseñé desde la ventana, que como está tan cerca se ve clarito, y...

---

[16] *sonsoniche,* 'exclamación vulgar'.
[17] *emboque,* 'engaño'.

ESTUDIANTE.—¡Hola, con que es pecador que viene al jubileo!

MESONERA.—Yo no sé. Luego se acostó; digo, se echó en la cama, vestido, y Bebió antes un vaso de agua con unas gotas de vinagre.

ESTUDIANTE.—Ya, para refrescar el cuerpo.

MESONERA.—Y me dijo que no quería luz, ni cena, ni nada, y se quedó como rezando el rosario entre dientes. A mí me parece que es persona muy...

MESONERO.—Charla, charla... ¿Quién diablos te mete en hablar de los huéspedes?... Maldita sea tu lengua.

MESONERA.—Como el señor licenciado quería saber...

ESTUDIANTE.—Sí, señora Colasa; dígame usted...

MESONERO.—*(A su mujer.)* ¡Chitón!

ESTUDIANTE.—Pues señor, volvamos al tío Trabuco. Tío Trabuco, tío Trabuco. *(Se acerca a él y le despierta.)*

TIO TRABUCO.—¡Malo!... ¿Me quiere usted dejar en paz?

ESTUDIANTE.—Vamos, dígame usted, ¿esa persona cómo viene en el mulo, a mujeriegas o a horcajadas?

TIO TRABUCO.—¡Ay qué sangre!... De cabeza.

ESTUDIANTE.—Y dígame usted, ¿de dónde salió usted esta mañana, de Posadas o de Palma?

TIO TRABUCO.—Yo no sé sino que tarde o temprano voy al cielo.

ESTUDIANTE.—¿Por qué?

TIO TRABUCO.—Porque ya me tiene usted en el purgatorio.

ESTUDIANTE.—*(Se ríe.)* ¡Ah, ah, ah!... ¿Y va usted a Extremadura?

TIO TRABUCO.—*(Se levanta, recoge sus jalmas y se va con ellas muy enfadado.)* No señor; a la caballeriza, huyendo de usted, y a dormir con mis mulos, que no saben latín, ni son bachilleres.

ESTUDIANTE.—*(Se ríe.)* ¡Ah, ah, ah, ah! Se atufó... Hola, Pepa, salerosa, ¿y no has visto tú al escondido?

MOZA.—Por la espalda.

ESTUDIANTE.—¿Y en qué cuarto está?

MOZA.—*(Señala la primera puerta de la derecha.)* En ese...

ESTUDIANTE.—Pues ya que es lampiño, vamos a pintarle unos bigotes con tizne... Y cuando se despierte por la mañana reiremos un poco.

> *(Se tizna los dedos y va hacia el cuarto.)*

ALGUNOS.—Sí... sí...

MESONERO.—No, no.

ALCALDE.—*(Con gravedad.)* Señor estudiante, no lo permitiré yo, pues debo proteger a los forasteros que llegan a esta villa, y administrarles justicia como a los naturales de ella.

ESTUDIANTE.—No lo dije, por tanto, señor Alcalde...

ALCALDE.—Yo sí. Y no fuera malo saber quién es el señor licenciado, de dónde viene y a dónde va, pues parece algo alegre de cascos.

ESTUDIANTE.—Si la justicia me lo pregunta de burlas o de veras, no hay inconveniente en decirlo, que aquí se juega limpio. Soy el bachiller Pereda, graduado por Salamanca, *in utroque* [18], y hace ocho años que curso sus escuelas, aunque pobre, con honra, y no sin fama. Salí de allí hace más de un año, acompañando a mi amigo y protector el señor licenciado Vargas, y fuimos a Sevilla, a vengar la muerte de su padre el marqués de Calatrava, y a indagar el paradero de su hermana, que se escapó con el matador. Pasamos allí algunos meses, donde también estuvo su hermano mayor, el actual marqués, que es oficial de Guardias. Y como no lograron su propósito, se separaron jurando venganza. Y el licenciado y yo nos vinimos a Córdoba, donde dijeron que estaba la hermana. Pero no la hallamos tampoco, y allí supimos que había muerto en la refriega que armaron los criados del marqués, la noche de su muerte, con los del robador y asesino, y que éste se

---

[18] *in utroque,* graduado en las dos ramas del Derecho: civil y canónico.

había vuelto a América. Con lo que marchamos a Cádiz, donde mi protector, el licenciado Vargas, se ha embarcado para buscar allá al enemigo de su familia. Y yo me vuelvo a mi Universidad a desquitar el tiempo perdido, y a continuar mis estudios; con los que, y la ayuda de Dios, puede ser que me vea algún día gobernador del Consejo o arzobispo de Sevilla.

ALCALDE.—Humos tiene el señor bachiller, y ya basta; pues se ve en su porte y buena explicación que es hombre de bien, y que dice verdad.

MESONERA.—Dígame usted, señor estudiante, ¿y qué, mataron a ese marqués?

ESTUDIANTE.—Sí.

MESONERA.—¿Y lo mató el amante de su hija y luego la robó?... ¡Ay! cuéntenos su merced esa historia, que será muy divertida: cuéntela su merced...

MESONERO.—¿Quién te mete a ti en saber vidas ajenas? ¡Maldita sea tu curiosidad! Pues que ya hemos cenado, demos gracias a Dios, y a recogerse. *(Se ponen todos en pie, y se quitan el sombrero como que rezan.)* Eh, buenas noches; cada mochuelo a su olivo.

ALCALDE.—Buenas noches, y que haya juicio y silencio.

ESTUDIANTE.—Pues me voy a mi cuarto. *(Se va a meter en el del viajero incógnito.)*

MESONERO.—Hola, no es ese, el de más allá.

ESTUDIANTE.—Me equivoqué.

> *(Vanse* EL ALCALDE *y los lugareños: entra* EL ESTUDIANTE *en su cuarto:* LA MOZA, EL ARRIERO *y* LA MESONERA *retiran la mesa y bancos, dejando la escena desembarazada.* EL MESONERO *se acerca al hogar, y queda todo en silencio y solos* EL MESONERO *y* LA MESONERA.*)*

## ESCENA II

MESONERO.   Colasa, para medrar
            en nuestro oficio, es forzoso
            que haya en la casa reposo,
            y a ninguno incomodar.
            Nunca meterse a oliscar
            quiénes los huéspedes son.
            No gastar conversación
            con cuantos llegan aquí.
            Servir bien, decir *no* o *sí,*
            cobrar la mosca, y chitón.

MESONERA.   No, por mí no lo dirás,
            bien sabes que callar sé.
            Al bachiller pregunté...

MESONERO.   Pues eso estuvo de más.

MESONERA.   También ahora extrañarás
            que entre en ese cuarto a ver
            si el huésped ha menester
            alguna cosa, marido,
            pues es, sí, lo he conocido,
            una afligida mujer.
            *(Toma un candil y entra* LA MESONERA
            *muy recatadamente en el cuarto.)*

MESONERO.   Entra, que entrar es razón,
            aunque temo a la verdad
            que vas por curiosidad,
            más bien que por compasión.

MESONERA.   *(Saliendo muy asustada.)*
            ¡Ay, Dios mío! Vengo muerta;
            desapareció la dama;
            nadie he encontrado en la cama,
            y está la ventana abierta.

MESONERO.   ¿Cómo? ¿cómo?... Ya lo sé...
            La ventana al campo da,
            y como tan baja está,
            sin gran trabajo se fue.

                     *(Andando hacia el cuarto donde entró la*
                     *mujer, quedándose él a la puerta.)*
                     Quiera Dios no haya cargado
                     con la colcha nueva.
MESONERA.            *(Dentro.)*                    Nada,
                     todo está aquí... ¡desdichada!
                     hasta dinero ha dejado...
                     Sí, sobre la mesa un duro.
MESONERO.            Vaya entonces en buen hora.
MESONERA.            *(Saliendo a la escena.)*
                     No hay duda, es una señora,
                     que se encuentra en grande apuro.
MESONERO.            Pues con bien la lleve Dios,
                     y vámonos a acostar,
                     y mañana no charlar,
                     que esto quede entre los dos.
                     Echa un cuarto en el cepillo
                     de las ánimas, mujer,
                     y el duro véngame a ver;
                     échamelo en el bolsillo.


                            ESCENA III


*El teatro representa una plataforma en la ladera de una*
*áspera montaña. A la izquierda precipicios y derrumba-*
*deros. Al frente un profundo valle atravesado por un ria-*
*chuelo, en cuya margen se ve a lo lejos la villa de Horna-*
*chuelos, terminando el fondo en altas montañas. A la*
*derecha la fachada del convento de los Ángeles de pobre y*
*humilde arquitectura. La gran puerta de la iglesia cerrada,*
*pero practicable, y sobre ella una claraboya de medio punto*
*por donde se verá el resplandor de las luces interiores; más*
*hacia el proscenio la puerta de la portería, también practi-*
*cable y cerrada; en medio de ella una mirilla o gatera que*
*se abre y se cierra, y al lado el cordón de una campanilla.*
*En medio de la escena habrá una gran Cruz de piedra tosca*
*y corroída por el tiempo, puesta sobre cuatro gradas que*

*puedan servir de asiento. Estará todo iluminado por una luna clarísima. Se oirá dentro de la iglesia el órgano, y cantar maitines al coro de frailes, y saldrá como subiendo por la izquierda* DOÑA LEONOR *muy fatigada y vestida de hombre con un gabán de mangas, sombrero gacho y botines*

### DOÑA LEONOR

Sí... ya llegué... Dios mío,
gracias os doy rendida.
                    *(Arrodíllase al ver el convento.)*
En ti, Virgen Santísima, confío;
sed el amparo de mi amarga vida.
Este refugio es sólo
el que puedo tener de polo a polo.          *(Álzase.)*
No me queda en la tierra
más asilo y resguardo
que los áridos riscos de esta sierra:
en ella estoy... ¿Aún tiemblo y me acobardo?...
          *(Mira hacia el sitio por donde ha venido.)*
¡Ah!... nadie me ha seguido.
Ni mi fuga veloz notada ha sido.
... No me engañé, la horrenda historia mía
escuché referir en la posada...
¿Y quién, cielos, sería
aquel que la contó? ¡Desventurada!
Amigo dijo ser de mis hermanos...
¡Oh cielos soberanos!...
¿Voy a ser descubierta?
Estoy de miedo y de cansancio muerta.
          *(Se sienta mirando en derredor y luego al cielo.)*
¡Qué asperezas! ¡Qué hermosa y clara luna!
¡La misma que hace un año
vio la mudanza atroz de mi fortuna,
y abrirse los infiernos en mi daño!!!     *(Pausa larga.)*

No fue ilusión... Aquel que de mí hablaba
dijo que navegaba
don Álvaro, buscando nuevamente
los apartados climas de Occidente.
¡Oh Dios! ¿Y será cierto?
Con bien arribe de su patria al puerto.          *(Pausa.)*
¿Y no murió la noche desastrada
en que yo, yo... manchada
con la sangre infeliz del padre mío,
le seguí... le perdí? ¿Y huye el impío?
¿Y huye el ingrato?... ¿Y huye y me abandona?

                                      *(Cae de rodillas.)*

¡Oh Madre Santa de piedad! perdona,
perdona, le olvidé. Sí, es verdadera,
lo es mi resolución. Dios de bondades,
lejos del mundo en estas soledades,
el furor espiaré de mis pasiones.
Piedad, piedad, Señor, no me abandones.

            *(Queda en silencio y como en profunda medita-
            ción recostada en las gradas de la cruz, y des-
            pués de una larga pausa continúa):*

Los sublimes acentos de ese coro
de bienaventurados,
y los ecos pausados
del órgano sonoro,
que cual de incienso vaporosa nube
al trono santo del eterno sube,
difunden en mi alma
bálsamo dulce de consuelo y calma.

                              *(Se levanta resuelta.)*

¿Qué me detengo pues?... corro al tranquilo...
corro al sagrado asilo...

                  *(Va hacia el convento y se detiene.)*

Mas ¿cómo a tales horas?... ¡Ah!... no puedo
ya dilatarlo más; hiélame el miedo
de encontrarme aquí sola. En esa aldea
hay quien mi historia sabe.

En lo posible cabe
que descubierta con la aurora sea.
Este santo prelado
de mi resolución está informado,
y de mis infortunios... Nada temo.
Mi confesor de Córdoba hace días
que las desgracias mías
le escribió largamente...
Sé de su caridad el noble extremo;
me acogerá indulgente.
¿Qué dudo, pues, qué dudo?...
Sed, oh Virgen Santísima, mi escudo.

> *(Llega a la portería y toca la campanilla.)*


## ESCENA IV

*Se abre la mirilla que está en la puerta, y por ella sale el resplandor de un farol que da de pronto en el rostro de* DOÑA LEONOR, *y ésta se retira como asustada.* EL HERMANO MELITÓN *habla toda esta escena dentro*

HERMANO MELITÓN.—¿Quién es?

DOÑA LEONOR.—Una persona a quien interesa mucho, mucho, ver al instante al reverendo padre Guardián.

HERMANO MELITÓN.—¡Buena hora de ver al padre Guardián!...La noche está clara y no será ningún caminante perdido. Si viene a ganar el jubileo, a las cinco se abrirá la iglesia; vaya con Dios; él le ayude.

DOÑA LEONOR.—Hermano, llamad al padre Guardián. Por caridad.

HERMANO MELITÓN.—¡Qué caridad a estas horas! El padre Guardián está en el coro.

DOÑA LEONOR.—Traigo para su reverencia un recado muy urgente del padre Cleto, definidor del convento de Córdoba, quien ya le ha escrito sobre el asunto de que vengo a hablarle.

HERMANO MELITÓN.—¡Hola...! ¿del padre Cleto el definidor del convento de Córdoba? Eso es distinto... iré, iré a decírselo al padre Guardián. Pero dígame, hijo, ¿el recado y la carta son sobre aquel asunto con el padre General, que está pendiente allá en Madrid?...

DOÑA LEONOR.—Es cosa muy interesante.

HERMANO MELITÓN.—Pero ¿para quién?

DOÑA LEONOR.—Para la criatura más infeliz del mundo.

HERMANO MELITÓN.—¡Mala recomendación!... Pero bueno; abriré la portería, aunque es contra regla, para que entréis a esperar.

DOÑA LEONOR.—No, no, no puedo entrar... ¡Jesús!!!

HERMANO MELITÓN.—Bendito sea su santo nombre... ¿Pero sois algún excomulgado?... Si no, es cosa rara preferir el esperar al raso. En fin, voy a dar el recado, que probablemente no tendrá respuesta. Si no vuelvo, buenas noches: ahí a la bajadita está la villa, y hay un buen mesón. El de la tía Colasa.

(*Ciérrase la ventanilla, y* DOÑA LEONOR *queda muy abatida.*)


ESCENA V

D.ª LEONOR.          ¿Será tan negra y dura
                     mi suerte miserable,
                     que este santo prelado
                     socorro y protección no quiera darme?
                     La rígida aspereza
                     y las dificultades
                     que ha mostrado el portero
                     me pasman de terror, hielan mi sangre.
                     Mas no, si da el aviso
                     al reverendo padre,
                     y éste es tan docto y bueno
                     cual dicen todos, volará a ampararme.
                     Oh Soberana Virgen
                     de desdichados Madre,

su corazón ablanda
para que venga pronto a consolarme.

*(Queda en silencio: da la una el reloj del
convento: se abre la portería, en la que
aparecen* EL PADRE GUARDIAN *y* EL
HERMANO MELITON *con un farol: éste se
queda en la puerta y aquél sale a la escena.)*

## ESCENA VI

### DOÑA LEONOR, EL PADRE GUARDIAN, EL HERMANO MELITON

P. GUARDIÁN. ¿El que me busca quién es?
D.ª LEONOR. Yo soy, padre, que quería...
P. GUARDIÁN. Ya se abrió la portería;
    entrad en el claustro, pues.
D.ª LEONOR. *(Muy sobresaltada.)*
    ¡Ah!... imposible!; padre, no,
P. GUARDIÁN. ¡Imposible!... ¿Qué decís?...
D.ª LEONOR. Si que os hable permitís,
    aquí sólo puedo yo.
P. GUARDIÁN. Si os envía el padre Cleto,
    hablad, que es mi grande amigo.
D.ª LEONOR. Padre, que sea sin testigo,
    porque me importa el secreto.
P. GUARDIÁN. ¿Y quién?... Mas ya os entendí.
    Retiraos, fray Melitón,
    y encajad este portón;
    dejadnos solos aquí.
H. MELITÓN. ¿No lo dije? Secretitos.
    Los misterios ellos solos,
    que los demás somos bolos
    para estos santos benditos.
P. GUARDIÁN. ¿Qué murmura?...
H. MELITÓN.               Que está tan
    premiosa esta puerta... y luego...

P. GUARDIÁN. Obedezca, hermano lego.

H. MELITÓN. Ya me la echó de guardián.

> *(Ciérrase la puerta y vase.)*

## ESCENA VII

### DOÑA LEONOR, EL PADRE GUARDIÁN

P. GUARDIÁN. *(Acercándose a* LEONOR.)
> Ya estamos, hermano, solos.
> ¿Mas por qué tanto misterio?
> ¿No fuera más conveniente
> que entrárais en el convento?
> ¿No sé qué pueda impedirlo?...
> entrad, pues, que yo os lo ruego;
> entrad, subid a mi celda;
> tomaréis un refrigerio,
> y después...

D.ª LEONOR.                    No, padre mío.

P. GUARDIÁN. ¿Qué os horroriza?... no entiendo...

D.ª LEONOR. *(Muy abatida.)*
> Soy una infeliz mujer.

P. GUARDIÁN. *(Asustado.)*
> ¡Una mujer!... ¡Santo cielo!
> ¡Una mujer!... a estas horas,
> en este sitio... ¿qué es esto?

D.ª LEONOR. Una mujer infelice,
> maldición del universo,
> que a vuestras plantas rendida
> > *(Se arrodilla.)*
> os pide amparo y remedio,
> pues vos podéis libertarla
> de este mundo y del infierno.

P. GUARDIÁN. Señora, alzad. Que son grandes
> > *(Se levanta.)*
> vuestros infortunios creo
> cuando os miro en este sitio,

y escucho tales lamentos.
¿Pero qué apoyo, decidme,
qué amparo prestaros puedo
yo, un humilde religioso
encerrado en estos yermos?

D.ª LEONOR. ¿No habéis, padre, recibido
la carta del padre Cleto?...

P. GUARDIÁN. *(Recapacitando.)*
¿El padre Cleto os envía?...

D.ª LEONOR. A vos, cual solo remedio
de todos mis infortunios;
si benignos los intentos
que a estos montes me conducen
permitís tengan efecto.

P. GUARDIÁN. *(Sorprendido.)*
¿Sois doña Leonor de Vargas?...
¿Sois por dicha?... ¡Dios eterno!

D.ª LEONOR. *(Abatida.)*
¡Os horroriza el mirarme!

P. GUARDIÁN. *(Afectuoso.)*
No, hija mía, no por cierto.
Ni permita Dios que nunca
tan duro sea mi pecho
que a los desgraciados niegue
la compasión y el respeto.

D.ª LEONOR. ¡Yo lo soy tanto!

P. GUARDIÁN.                                   Señora,
vuestra agitación comprendo.
No es extraño, no. Seguidme,
venid. Sentaos un momento
al pie de esta cruz; su sombra
os dará fuerza y consuelos.
*(Lleva* EL GUARDIÁN *a* DOÑA LEONOR, *y
se sientan ambos al pie de la cruz.)*

D.ª LEONOR. ¡No me abandonéis! Oh, padre.

P. GUARDIÁN. No, jamás; contad conmigo.

D.ª LEONOR. De este santo monasterio
desde que el término piso,

más tranquila tengo el alma,
con más libertad respiro.
Ya no me cercan, cual hace
un año, que hoy se ha cumplido,
los espectros y fantasmas
que siempre en redor he visto.
Ya no me sigue la sombra
sangrienta del padre mío,
ni escucho sus maldiciones,
ni su horrenda herida miro,
ni...

P. GUARDIÁN.      ¡Oh! no lo dudo, hija mía.
Libre estáis en este sitio
de esas vanas ilusiones,
aborto de los abismos.
Las insidias del demonio,
las sombras a que da brío
para conturbar al hombre,
no tienen aquí dominio.

D.ª LEONOR. Por eso aquí busco ansiosa
dulce consuelo y auxilio,
y de la Reina del cielo
bajo el regio manto abrigo.

P. GUARDIÁN. Vamos despacio, hija mía:
el padre Cleto me ha escrito
la resolución tremenda
que al desierto os ha traído;
pero no basta.

D.ª LEONOR.                 Sí basta:
es inmutable... lo fío,
es inmutable.

P. GUARDIÁN.                 ¡Hija mía!

D.ª LEONOR. Vengo resuelta, lo he dicho,
a sepultarme por siempre
en la tumba de estos riscos.

P. GUARDIÁN. ¡Cómo!...

D.ª LEONOR.              ¿Seré la primera?...
No lo seré, padre mío.

Mi confesor me ha informado
de que en este santo sitio,
otra mujer infelice
vivió muerta para el siglo.
Resuelta a seguir su ejemplo
vengo en busca de su asilo:
dármelo sin duda puede
la gruta que le dio abrigo;
vos la protección y amparo
que para ello necesito,
y la Soberana Virgen
su santa gracia y su auxilio.

P. GUARDIÁN. No os engañó el padre Cleto,
pues diez años ha vivido
una santa penitente
en este yermo tranquilo,
de los hombres ignorada,
de penitencias prodigio.
En nuestra iglesia sus restos
están, y yo los estimo
como la joya más rica
de esta casa, que, aunque indigno,
gobierno en el santo nombre
de mi padre San Francisco.
La gruta que fue su albergue
y a que reparos precisos
se le hicieron, está cerca
en ese hondo precipicio.
Aún existen en su seno
los humildes utensilios
que usó la santa; a su lado
un arroyo cristalino
brota apacible...

D.ª LEONOR.                    Al momento
llevadme allá, padre mío.

P. GUARDIÁN. ¡Oh, doña Leonor de Vargas!
¿Insistís?

D.ª LEONOR.          Sí, padre, insisto.

Dios me manda...

P. GUARDIÁN.                          Raras veces
Dios tan grandes sacrificios
exige de los mortales.
Y, ¡ay de aquél que de un delirio
en el momento, hija mía,
tal vez se engaña a sí mismo!

Todas las tribulaciones
de este mundo fugitivo,
son, señora, pasajeras;
al cabo encuentras alivio.

Y al Dios de bondad se sirve,
y se le aplaca lo mismo
en el claustro, en el desierto,
de la corte en el bullicio,
cuando se le entrega el alma
con fe viva y pecho limpio.

D.ª LEONOR. No es un acaloramiento,
no un instante de delirio
quien me sugirió la idea
que a buscaros me ha traído.

Desengaños de este mundo,
y un año ¡ay Dios! de suplicios,
de largas meditaciones,
de continuados peligros,
de atroces remordimientos,
de reflexiones conmigo,
mi intención han madurado
y esfuerzo me han concedido
para hacer voto solemne
de morir en este sitio.

Mi confesor venerable,
que ya mi historia os ha escrito,
el padre Cleto, a quien todos
llaman santo, y con motivo,
mi resolución aprueba;
aunque cual vos al principio

              trató de desvanecerla
              con sus doctos raciocinios;
              y a vuestras plantas me envía
              para que me deis auxilio.
              No me abandonéis, oh padre,
              por el cielo os lo suplico;
              mi resolución es firme,
              mi voto inmutable y fijo,
              y no hay fuerza en este mundo
              que me saque de estos riscos.

P. GUARDIÁN. Sois muy joven, hija mía;
              ¿quién lo que el cielo propicio
              aún nos puede guardar sabe?

D.ª LEONOR. Renuncio a todo, lo he dicho.

P. GUARDIÁN. Acaso aquel caballero...

D.ª LEONOR. ¿Qué pronunciáis?... ¡Oh martirio!
              Aunque inocente, manchado
              con sangre del padre mío
              está, y nunca, nunca...

P. GUARDIÁN.                     Entiendo.
              Mas de vuestra casa el brillo...
              Vuestros hermanos...

D.ª LEONOR.                  Mi muerte
              sólo anhelan vengativos.

P. GUARDIÁN. ¿Y la bondadosa tía
              que en Córdoba os ha tenido
              un año oculta?

D.ª LEONOR.               No puedo
              sin ponerla en compromiso,
              abusar de sus bondades.

P. GUARDIÁN. Y qué, ¿más seguro asilo
              no fuera, y más conveniente
              con las esposas de Cristo,
              en un convento?...

D.ª LEONOR.              No, padre;
              son tantos los requisitos
              que para entrar en el claustro
              se exigen... y... ¡oh! no, Dios mío,

aunque me encuentro inocente,
no puedo, tiemblo al decirlo,
vivir sino donde nadie
viva y converse conmigo.
Mi desgracia en toda España
suena de modo distinto,
y una alusión, una seña,
una mirada, suplicios
pudieran ser que me hundieran,
del despecho en el abismo.
No, jamás... Aquí, aquí sólo;
si no me acogéis benigno,
piedad pediré a las fieras
que habitan en estos riscos,
alimento a estas montañas,
vivienda a estos precipicios.
No salgo de este desierto;
una voz hiere mi oído,
voz del cielo que me dice:
aquí, aquí; y aquí respiro.
                    *(Se abraza con la cruz.)*
No, no habrá fuerzas humanas
que me arranque de este sitio.
P. GUARDIÁN. *(Levantándose y aparte.)*
¡Será verdad, Dios eterno!
¿Será tan grande y tan alta
la protección que concede
vuestra Madre Soberana
a mí, pecador indigno,
que cuando soy de esta casa
humilde prelado, venga
con resolución tan santa
otra mujer penitente
a ser luz de estas montañas?
¡Bendito seáis, Dios eterno,
cuya omnipotencia narran
esos cielos estrellados,
escabel de vuestras plantas!

¿Vuestra vocación es firme?...
¿Sois tan bienaventurada?...

D.ª LEONOR. Es inmutable, y cumplirla
la voz del cielo me manda.

P. GUARDIÁN. Sea pues, bajo el amparo
de la Virgen Soberana.
*(Extiende una mano sobre ella.)*

D.ª LEONOR. *(Arrojándose a las plantas del* PADRE
GUARDIÁN.*)*
¿Me acogéis?... ¡Oh Dios!... ¡Oh dicha!
¡Cuán feliz vuestras palabras
me hacen en este momento.

P. GUARDIÁN. *(Levantándola.)*
Dad a la Virgen las gracias.
Ella es quien asilo os presta
a la sombra de su casa.
No yo, pecador protervo,
vil gusano, tierra, nada.          *(Pausa.)*

D.ª LEONOR. Y vos, tan sólo vos, oh padre mío,
sabréis que habito en estas asperezas,
no otro ningún mortal.

P. GUARDIÁN.                    Yo solamente
sabré quién sois. Pero que avise es fuerza
a la comunidad de que la ermita
está ocupada, y de que vive en ella
una persona penitente. Y nadie,
bajo precepto santo de obediencia,
osará aproximarse de cien pasos,
ni menos penetrar la humilde cerca
que a gran distancia la circunda en
                                        [torno.
La mujer santa, antecesora vuestra,
sólo fue conocida del prelado,
también mi antecesor. Que mujer era
lo supieron los otros religiosos
cuando se celebraron sus exequias.
Ni yo jamás he de volver a veros:
cada semana, sí, con gran reserva,

yo mismo os dejaré junto a la fuente
la escasa provisión: de recogerla
cuidaréis vos... Una pequeña esquila,
que está sobre la puerta con su cuerda,
calando a lo interior, tocaréis sólo
de un gran peligro en la ocasión extre-
                                                    [ma,
o en la hora de la muerte. Su sonido,
a mí, o al que cual yo prelado sea,
avisará, y espiritual socorro
jamás os faltará... No, nada tema.
La Virgen de los Ángeles os cubre
con su mano, será vuestra defensa
el ángel del Señor.

D.ª LEONOR.                             Mas mis hermanos...
o bandidos tal vez...

P. GUARDIÁN.                                 ¿Y quién pudiera
atreverse, hija mía, sin que al punto
sobre él tronara la venganza eterna?
Cuando vivió la penitente antigua
en este mismo sitio, adonde os lleva
gracia especial del brazo omnipotente,
tres malhechores con audacia ciega
llegar quisieron al albergue santo;
al momento una horrísona tormenta
se alzó, enlutando el indignado cielo,
y un rayo desprendido de la esfera
hizo ceniza a dos de los bandidos,
y el tercero, temblando, a nuestra iglesia
acogióse, vistió el escapulario
abrazando contrito nuestra regla,
y murió a los dos meses.

D.ª LEONOR.                                 Bien: ¡oh padre!
pues que encontré donde esconderme
                                                    [pueda
a los ojos del mundo, conducidme,
sin tardanza llevadme...

P. GUARDIÁN.                                 Al punto sea,

que ya la luz del alba se avecina.
Mas antes entraremos en la iglesia;
recibiréis mi absolución, y luego
el pan de vida y de salud eterna.
Vestiréis el sayal de San Francisco,
y os daré avisos que importaros puedan
para la santa y penitente vida,
a que con gloria tanta estáis resuelta.


## ESCENA VIII

P. GUARDIÁN. ¡Hola!... Hermano Melitón.
            ¡Hola!... despierte le digo;
            de la iglesia abra el postigo.
H. MELITÓN. *(Dentro.)*
            Pues qué, ¿ya las cinco son?...
                        *(Sale bostezando.)*
            Apostaré a que no han dado. *(Bosteza.)*
P. GUARDIÁN. La iglesia abra.
H. MELITÓN.                No es de día.
P. GUARDIÁN. ¿Replica?... Por vida mía...
H. MELITÓN. ¿Yo?... en mi vida he replicado.
            Bien podía el penitente
            hasta las cinco esperar;
            difícil será encontrar
            un pecador tan urgente.
            *(Vase y en seguida se oye descorrer el ce-*
            *rrojo de la puerta de la iglesia, y se la ve*
            *abrirse lentamente.)*
P. GUARDIÁN. *(Conduciendo a* LEONOR *hacia la iglesia.)*
            Vamos al punto, vamos;
            en la casa de Dios, hermana, entremos,
            su nombre bendigamos,
            en su misericordia confiemos.

# JORNADA TERCERA

LA ESCENA ES EN ITALIA, EN VELETRI
Y SUS ALREDEDORES [19]

## ESCENA PRIMERA

*El teatro representa una sala corta, alojamiento de ofi-
ciales calaveras. En las paredes estarán colgados en
desorden uniformes, capotes, sillas de caballos, armas, etc.;
en medio habrá una mesa con tapete verde, dos candeleros
de bronce con velas de sebo, los cuatro oficiales alrededor,
uno de ellos con la baraja en la mano, y habrá otras sillas
desocupadas*

PEDRAZA.—*(Entra muy de prisa.)* ¡Qué frío está esto!

OFICIAL 1.º—Todos se han ido en cuanto me han
desplumado: no he conseguido tirar ni una buena talla.

PEDRAZA.—Pues precisamente va a venir un gran
punto, y si ve esto tan desierto y frío...

OFICIAL 1.º—¿Y quién es el pájaro?

TODOS.—¿Quién?

PEDRAZA.—El ayudante del general, ese teniente
coronel que ha llegado esta tarde con la orden de que al

---

[19]   *Veletri*, localidad italiana cerca de Roma en donde tuvo lugar el
10 de agosto de 1744 una batalla de la llamada Guerra de Sucesión
austriaca (1740-48) entre los austriacos o imperiales y los españoles y
napolitanos. La victoria de estos últimos hizo que conquistasen Veletri.

amanecer estemos sobre las armas. Es gran aficionado, tiene mucho rumbo, y a lo que parece es blanquito [20]. Hemos cenado juntos en casa de la coronela, a quien ya le está echando requiebros, y el taimado de nuestro capellán lo marcó por suyo. Le convidó con que viniera a jugar, y ya lo trae hacia aquí.

OFICIAL 1.º—Pues señores, ya es éste otro cantar. Ya vamos a ser todos unos... ¿Me entienden ustedes?

TODOS.—Sí, sí, muy bien pensado.

OFICIAL 2.º—Como que es de plana mayor, y será contrario de los pobres pilíes [21].

OFICIAL 4.º—A él, y duro.

OFICIAL 1.º—Pues para jugar con él tengo baraja preparada, más obediente que un recluta, y más florida que el mes de mayo. *(Saca una baraja del bolsillo.)* Y aquí está.

OFICIAL 3.º—¡Qué fino es usted, camarada!

OFICIAL 1.º—No hay que jugar ases ni figuras. Y al avío, que ya suena gente en la escalera. Tiro, tres a la derecha, nueve a la izquierda.


## ESCENA II

### DON CARLOS DE VARGAS, EL CAPELLÁN

CAPELLÁN.        Aquí viene, compañeros,
                 un rumboso aficionado.
TODOS.           Sea pues muy bien llegado.
                        *(Levantándose y volviéndose a sentar.)*
D. CARLOS.       Buenas noches, caballeros.
                 ¡Qué casa tan indecente!        *(Aparte.)*
                 Estoy, vive Dios, corrido,
                 de verme comprometido
                 a alternar con esta gente.

---

[20]  *blanquito,* 'principiante, ingenuo en el juego'.
[21]  *pilíes,* nombre despectivo dado a los militares de baja graduación.

OFICIAL 1.° Sentaos.
*(Se sienta don* DON CARLOS, *haciéndole todos lugar.)*

CAPELLÁN. Señor capitán, *(Al banquero.)* ¿y el concurso?

OFICIAL 1.° Se afufó [22] *(Barajando.)*
en cuanto me desbancó.
Toditos repletos van.
Se declaró un juego eterno
que no he podido quebrar,
y siempre salió a ganar
una sota del infierno.
Veintidós veces salió
y jamás a la derecha.

OFICIAL 2.° El que nunca se aprovecha
de tales gangas soy yo.

OFICIAL 3.° Y yo en el juego contrario
me empeñé, que nada vi,
y ya sólo estoy aquí
para rezar el rosario.

CAPELLÁN. Vamos.

PEDRAZA. Vamos.

OFICIAL 1.° Tiro.

D. CARLOS. Juego.

OFICIAL 1.° Tiro, a la derecha el as,
y a la izquierda la sotita.

OFICIAL 2.° Ya salió la muy maldita.
Por vida de Barrabás...

OFICIAL 1.° Rey a la derecha, nueve
a la izquierda.

D. CARLOS. Yo lo gano.

OFICIAL 1.° ¡Tengo apestada la mano! *(Paga.)*
Tres onzas, nada se debe.
A la derecha la sota.

OFICIAL 4.° Ya quebró.

OFICIAL 3.° Pegarle fuego.

---

[22] *se afufó*, 'se escapó'.

OFICIAL 1.º     A la izquierda siete.

D. CARLOS.                     Juego.

OFICIAL 2.º     Sólo el verla me rebota.

D. CARLOS.     Copo.

CAPELLÁN.          ¿Con carta tapada?

OFICIAL 1.º     Tiro, a la derecha el tres.

PEDRAZA.     ¡Qué bonita carta es!

OFICIAL 1.º     Cuando sale descargada.
                 A la izquierda el cinco.

D. CARLOS.     *(Levantándose y sujetando la mano del que*
                 *talla.)*
                          No,
                 con tiento, señor banquero,
                         *(Vuelve su carta.)*
                 que he ganado mi dinero,
                 y trampas no sufro yo.

OFICIAL 1.º     ¡Cómo trampas!... ¿Quién osar?...

D. CARLOS.     Yo: pegado tras del cinco
                 está el caballo, buen brinco
                 le hicisteis, amigo, dar.

OFICIAL 1.º     Soy hombre pundonoroso,
                 y esto una casualidad...

D. CARLOS.     Esta es una iniquidad,
                 vos un taimado tramposo.

PEDRAZA.     Sois un loco, un atrevido.

D. CARLOS.     Vos un vil, y con la espada...

TODOS.     Esta es una casa honrada.

CAPELLÁN.     Por Dios no hagamos ruido.

D. CARLOS.     *(Echando a rodar la mesa.)*
                 Abreviemos de razones.

TODOS.     *(Tomando las espadas.)*
                 Muera, muera el insolente.

D. CARLOS.     *(Sale defendiéndose.)*
                 ¿Qué puede con un valiente
                 una cueva de ladrones?
                 *(Vanse acuchillando, y dos o tres soldados*
                 *retiran la mesa, las sillas y desembarazan*
                 *la escena.)*

## ESCENA III

*El teatro representa una selva en noche muy oscura. Aparece al fondo* DON ÁLVARO, *solo, vestido de capitán de granaderos, se acerca lentamente, y dice con gran agitación*

D. ÁLVARO.    ¡Qué carga tan insufrible
es el ambiente vital,
para el mezquino mortal
que nace en signo terrible!
¡Que eternidad tan horrible
la breve vida! ¡Este mundo
qué calabozo profundo,
para el hombre desdichado
a quien mira el cielo airado
con su ceño furibundo!
    Parece, sí, que a medida
que es más dura y más amarga,
más extiende, más alarga
el destino nuestra vida.
Si nos está concedida
sólo para padecer,
y debe muy breve ser
la del feliz, como en pena
de que su objeto no llena,
¡terrible cosa es nacer!
    Al que tranquilo, gozoso
vive entre aplausos y honores,
y de inocentes amores
apura el cáliz sabroso;
cuando es más fuerte y brioso,
la muerte sus dichas huella,
sus venturas atropella;
y yo que infelice soy,
yo que buscándola voy
no puedo encontrar con ella.

Mas ¿cómo la he de obtener,
¡desventurado de mí!
pues cuando infeliz nací,
nací para envejecer?
Si aquel día de placer
(Que uno solo he disfrutado,
fortuna hubiese fijado,
¡cuán pronto muerte precoz
con su guadaña feroz
mi cuello hubiera segado!

Para engalanar mi frente,
allá en la abrasada zona,
con la espléndida corona
del imperio de occidente,
amor y ambición ardiente
me engendraron de concierto [23];
pero con tal desacierto,
con tan contraria fortuna,
que una cárcel fue mi cuna,
y fue mi escuela el desierto.

Entre bárbaros crecí,
y en la edad de la razón,
a cumplir la obligación
que un hijo tiene, acudí:
mi nombre ocultando fui
(que es un crimen) a salvar
la vida, y así pagar
a los que a mí me la dieron,
que un trono soñando vieron,
y un cadalso al despertar.

Entonces risueño un día,
uno solo, nada más,
me dio el destino; quizás
con intención más impía.
Así en la cárcel sombría
mete una luz el sayón,

---

[23]   De nuevo alude don Alvaro a sus orígenes incas.

con la tirana intención
de que un punto el preso vea
el horror que lo rodea
en su espantosa mansión.
    ¡Sevilla!!! ¡Guadalquivir!!!
¡Cuál atormentáis mi mente!...
¡Noche en que vi de repente
mis breves dichas huir!...
¡Oh qué carga es el vivir!...
Cielos, saciad el furor...
Socórreme, mi Leonor,
gala del suelo andaluz,
que ya eres ángel de luz,
junto al trono del Señor.

    Mírame desde tu altura
sin nombre en extraña tierra,
empeñado en una guerra,
por ganar mi sepultura.
¿Qué me importa por ventura
que triunfe Carlos o no? [24]
¿Qué tengo de Italia en pro?
¿Qué tengo? ¡terrible suerte!
Que en ella reina la muerte,
y a la muerte busco yo.

    ¡Cuánto, oh Dios, cuánto se engaña
el que elogia mi ardor ciego,
viéndome siempre en el fuego
de esta extranjera campaña!
Llámanme la prez de España,
y no saben que mi ardor
sólo es falta de valor,
pues busco ansioso el morir
por no osar el resistir
de los astros el furor.

---

[24] Carlos de Borbón, entonces rey de Nápoles y más tarde de España con el título de Carlos III.

Si el mundo colma de honores
al que mata a su enemigo,
el que lo lleva consigo
¿por qué no puede?...

                    *(Óyese ruido de espadas.)*

D. CARLOS.  *(Dentro.)*            ¡Traidores!!!
VOCES.      *(Dentro.)*
            Muera.
D. CARLOS.  *(Dentro.)*
                    ¡Viles!
D. ÁLVARO   *(Sorprendido.)*
            ¡Qué clamores!
D. CARLOS.  *(Dentro.)*
            ¡Socorro!!!
D. ÁLVARO.  *(Desenvainando la espada.)*
                    Dárselo quiero,
            que oigo crujir el acero;
            y si a los peligros voy
            porque desgraciado soy,
            también voy por caballero.
            *(Entrase; suena ruido de espadas; atra-
            viesan dos hombres la escena como fugi-
            tivos, y vuelven a salir* DON ÁLVARO *y*
            DON CARLOS.*)*


ESCENA IV

DON ÁLVARO *y* DON CARLOS, *con las espadas desnudas*

D. ÁLVARO.  Huyeron... ¿Estáis herido?
D. CARLOS.  Mil gracias os doy, señor;
            sin vuestro heroico valor
            de cierto estaba perdido;
            y no fuera maravilla:
            eran siete contra mí,
            y cuando grité me vi
            en tierra ya una rodilla.

D. ÁLVARO.   ¿Y herido estáis?
D. CARLOS.   *(Reconociéndose.)*
             Nada siento                    *(Envainan.)*
D. ÁLVARO.   ¿Quiénes eran?
D. CARLOS.                   Asesinos.
D. ÁLVARO.   ¿Cómo osaron tan vecinos
             de un militar campamento?...
D. CARLOS.   Os lo diré francamente;
             fue contienda sobre el juego.
             Entré sin pensarlo ciego
             en un casuco indecente...
D. ÁLVARO.   Ya caigo, aquí a mano diestra...
D. CARLOS.   Sí.
D. ÁLVARO.     Que extrañe perdonad,
             que un hombre de calidad,
             cual vuestro esfuerzo demuestra,
             entrara en tal gazapón,
             donde sólo va la hez,
             la canalla más soez,
             de la milicia borrón.
D. CARLOS.   Sólo el ser recién llegado
             puede, señor, disculparme;
             vinieron a convidarme,
             y accedí desalumbrado.
D. ÁLVARO.   ¿Conque ha poco estáis aquí?
D. CARLOS.   Diez días ha que llegué
             a Italia; dos sólo que
             al cuartel general fui.
             Y esta tarde al campamento
             con comisión especial
             llegué de mi general,
             para el reconocimiento
             de mañana. Y si no fuera
             por vuestra espada y favor,
             mi carrera sin honor
             ya estuviera terminada.
             Mi gratitud sepa, pues,
             a quién la vida he debido,

porque el ser agradecido
la obligación mayor es
para el hombre bien nacido.

D. ÁLVARO          *(Con indiferencia.)*
                   Al acaso.

D. CARLOS          *(Con expresión.)*
                              Que me deis
                   vuestro nombre a suplicaros
                   me atrevo. Y para obligaros,
                   primero el mío sabréis.
                   Siento no decir verdad:          *(Aparte.)*
                   soy don Félix de Avendaña,
                   que he venido a esta campaña
                   sólo por curiosidad.
                   Soy teniente coronel,
                   y del general Briones
                   ayudante: relaciones
                   tengo de sangre con él.

D. ÁLVARO          ¡Qué franco es, y qué expresivo!
                                               *(Aparte.)*
                   Me cautiva el corazón.

D. CARLOS.         Me parece que es razón
                   que sepa yo por quién vivo,
                   pues la gratitud es ley.

D. ÁLVARO.         Soy... don Fadrique de Herreros,
                   capitán de granaderos
                   del regimiento del Rey.

D. CARLOS.         *(Con grande admiración y entusiasmo.)*
                   ¿Sois... ¡grande dicha es la mía!
                   del ejército español
                   la gloria, el radiante sol
                   de la hispana valentía?

D. ÁLVARO.         Señor...

D. CARLOS.                    Desde que llegué
                   a Italia, sólo elogiaros
                   y prez de España llamaros
                   por donde quiera escuché.

               Y de español tan valiente
               anhelaba la amistad.

D. ÁLVARO.   Con ella, señor, contad,
               que me honráis muy altamente.
               Y según os he encontrado
               contra tantos combatiendo
               bizarramente, comprendo
               que seréis muy buen soldado.
               Y la gran cortesanía
               que en vuestro trato mostráis
               dice a voces que gozáis
               de aventajada hidalguía.
                             *(Empieza a amanecer.)*
               Venid, pues, a descansar
               a mi tienda.

D. CARLOS.            Tanto honor
               será muy corto, señor,
               que el alba empieza a asomar.
               *(Se oye a lo lejos tocar generala a las*
               *bandas de tambores.)*

D. ÁLVARO.   Y por todo el campamento,
               de los tambores el son
               convoca a la formación.
               Me voy a mi regimiento.

D. CARLOS.   Yo también, y a vuestro lado
               asistiré en la pelea,
               donde os admire y os vea
               como a mi ejemplo y dechado.

D. ÁLVARO.   Favorecedor y amigo,
               si sois cual cortés valiente,
               yo de vuestro arrojo ardiente
               seré envidioso testigo.      *(Vanse.)*

# ESCENA V

*El teatro representa un risueño campo de Italia, al amanecer; se verá a lo lejos el pueblo de Veletri y varios puestos militares; algunos cuerpos de tropas cruzan la escena, y luego sale una compañía de infantería con* EL CAPITAN, EL TENIENTE *y* EL SUBTENIENTE: DON CARLOS *sale a caballo con una ordenanza detrás, y coloca la compañía a un lado, avanzando una guerrilla al fondo del teatro*

DON CARLOS.—Señor capitán, permaneceréis aquí hasta nueva orden; pero si los enemigos arrollan las guerrillas, y se dirigen a esa altura donde está la compañía de Cantabria, marchad a socorrerla a todo trance.

CAPITÁN.—Está bien, cumpliré con mi obligación. (*Vase* DON CARLOS.)

## ESCENA VI

CAPITÁN.—Granaderos, en su lugar, descanso. Parece que lo entiende este ayudante. *(Salen los oficiales de las filas y se reúnen mirando con un anteojo hacia donde suena rumor de fusilería.)*

TENIENTE.—Se va galopando al fuego como un energúmeno, y la acción se empeña más y más.

SUBTENIENTE.—Y me parece que ha de ser muy caliente.

CAPITÁN.—*(Mirando con el anteojo.)* Bien combaten los granaderos del Rey.

TENIENTE.—Como que llevan a la cabeza a la prez de España, al valiente don Fadrique de Herreros, que pelea como un desesperado.

SUBTENIENTE.—*(Tomando el anteojo y mirando con él.)* Pues los alemanes cargan a la bayoneta y con brío; adiós, que nos desalojan de aquel puesto. *(Se aumenta el tiroteo.)*

CAPITÁN.—*(Toma el anteojo.)* A ver, a ver... ¡Ay! si no me engaño, el capitán de granaderos del Rey ha caído o muerto o herido; lo veo claro, claro.

TENIENTE.—Yo distingo que se arremolina la compañía... y creo que retrocede.

SOLDADOS.—A ellos, a ellos.

CAPITÁN.—Silencio. Firmes. *(Vuelve a mirar con el anteojo.)* Las guerrillas también retroceden.

SUBTENIENTE.—Uno corre a caballo hacia allá.

CAPITÁN.—Sí, es el ayudante... Está reuniendo la gente y carga... ¡con qué denuedo! nuestro es el día.

TENIENTE.—Sí, veo huir a los alemanes.

SOLDADOS.—A ellos.

CAPITÁN.—Firmes, granaderos. *(Mira con el anteojo.)* El ayudante ha recobrado el puesto, la compañía del Rey carga a la bayoneta y lo arrolla todo.

TENIENTE.—A ver, a ver. *(Toma el anteojo y mira.)* Sí, cierto. Y el ayudante se apea del caballo, y retira en sus brazos al capitán don Fadrique. No debe de estar más que herido; se lo llevan hacia Veletri.

TODOS.—Dios nos le conserve, que es la flor del ejército.

CAPITÁN.—Pero por este lado no va tan bien. Teniente, vaya usted a reforzar con la mitad de la compañía las guerrillas que están en esa cañada; que yo voy a acercarme a la compañía de Cantabria; vamos, vamos.

SOLDADOS.—Viva España, viva España, viva Nápoles. *(Marchan.)*


ESCENA VII


*El teatro representa el alojamiento de un oficial superior; al frente estará la puerta de la alcoba practicable y con cortinas. Entra* DON ÁLVARO *herido y desmayado en una camilla llevada por cuatro granaderos,* EL CIRUJANO *a un lado y* DON CARLOS *a otro lleno de polvo y como muy cansado; un soldado traerá la maleta de* DON ÁLVARO *y*

*la pondrá sobre una mesa; colocarán la camilla en medio*
*de la escena, mientras los granaderos entran en la alcoba a*
*hacer la cama*

D. CARLOS.      Con mucho, mucho cuidado,
                dejadle aquí, y al momento
                entrad a arreglar mi cama.
                *(Vanse a la alcoba dos de los soldados y*
                *quedan otros dos.)*

CIRUJANO.       Y que haya mucho silencio

D. ÁLVARO.      *(Volviendo en sí.)*
                ¿Dónde estoy? ¿dónde?

D. CARLOS.      *(Con mucho cariño.)*
                                         En Veletri,
                a mi lado, amigo excelso.
                Nuestra ha sido la victoria,
                tranquilo estad.

D. ÁLVARO.                       ¡Dios eterno!
                ¡Con salvarme de la muerte,
                qué gran daño me habéis hecho!

D. CARLOS.      No digáis tal, don Fadrique,
                cuando tan vano me encuentro
                de que salvaros la vida
                me haya concedido el cielo.

D. ÁLVARO.      ¡Ay don Félix de Avendaña,
                qué grande mal me habéis hecho!
                                         *(Se desmaya.)*

CIRUJANO.       Otra vez se ha desmayado;
                agua y vinagre.

D. CARLOS.      *(A uno de los soldados.)*
                Al momento.
                ¿Está de mucho peligro?
                                         *(Al* CIRUJANO.*)*

CIRUJANO.       Este balazo del pecho,
                en donde aún tiene la bala,
                me da muchísimo miedo;
                lo que es las otras heridas
                no presentan tanto riesgo.

D. CARLOS.   *(Con gran vehemencia.)*
Salvad su vida, salvadle;
apurad todos los medios
del arte, y os aseguro
tal galardón...

CIRUJANO.             Lo agradezco:
para cumplir con mi oficio
no necesito de cebo,
que en salvar a este valiente
interés muy grande tengo.
*(Entra el soldado con un vaso de agua y
vinagre.* EL CIRUJANO *le rocía el rostro, y
le aplica un pomito a las narices.)*

D. ÁLVARO.   *(Vuelve en sí.)*
¡Ay!

D. CARLOS.   Ánimo, noble amigo,
cobrad ánimo y aliento:
pronto, muy pronto curado
y restablecido y bueno
volveréis a ser la gloria,
el norte de los guerreros.
Y a vuestras altas hazañas
el rey dará todo el premio
que merece. Sí, muy pronto
lozano otra vez, cubierto
de palmas inmarchitables
y de laureles eternos,
con una rica encomienda
se adornará vuestro pecho
de Santiago o Calatrava.

D. ÁLVARO.   *(Muy agitado.)*
¿Qué escucho? ¿Qué? ¡Santo cielo!
¡Ah!... no, no de Calatrava:
jamás, jamás... ¡Dios eterno!

CIRUJANO.   Ya otra vez se desmayó:
sin quietud y sin silencio
no habrá forma de curarlo.
Que no le habléis más os ruego.

|  |  |
|---|---|
| | *(A* DON CARLOS. *Vuelve a darle agua y a aplicarle el pomito a las narices.)* |
| D. CARLOS. | *(Suspenso aparte.)* |
| | El nombre de Calatrava |
| | ¿qué tendrá? ¿qué tendrá... tiemblo |
| | de terrible a sus oídos?... |
| CIRUJANO. | No puede esperar más tiempo. |
| | ¿Aún no está lista la cama? |
| D. CARLOS. | *(Mirando a la alcoba.)* |
| | Ya lo está. |
| | *(Salen los dos soldados.)* |
| CIRUJANO. | *(A los cuatro soldados.)* |
| | Llevadle luego. |
| D. ÁLVARO. | ¡Ay de mí! *(Volviendo en sí.)* |
| CIRUJANO. | Llevadle. |
| D. ÁLVARO. | *(Haciendo esfuerzos.)* |
| | Esperen. |
| | Poco, por lo que en mí siento, |
| | me queda ya de este mundo, |
| | y en el otro pensar debo. |
| | Mas antes de desprenderme |
| | de la vida, de un gran peso |
| | quiero descargarme. Amigo, |
| | *(A* DON CARLOS.*)* |
| | un favor tan sólo anhelo. |
| CIRUJANO. | Si habláis, señor, no es posible... |
| D. ÁLVARO. | No volver a hablar prometo. |
| | Pero sólo una palabra, |
| | y a él solo, que decir tengo. |
| D. CARLOS. | *(Al* CIRUJANO *y soldados.)* |
| | Apartad, démosle gusto; |
| | dejadnos por un momento. |
| | *(Se retiran el* CIRUJANO *y los asistentes a un lado.)* |
| D. ÁLVARO. | Don Félix, vos solo, solo, |
| | *(Dale la mano.)* |
| | cumpliréis con lo que quiero |
| | de vos exigir. Juradme |

por la fe de caballero,
que haréis cuanto aquí os encargue,
con inviolable secreto.

D. CARLOS. Yo os lo juro, amigo mío;
acabad, pues.
*(Hace un esfuerzo DON ÁLVARO como*
*para meter la mano en el bolsillo y no*
*puede.)*

D. ÁLVARO. ¡Ah!... no puedo.
Meted en este bolsillo,
que tengo aquí al lado izquierdo
sobre el corazón, la mano.
*(Lo hace DON CARLOS.)*
¿Halláis algo en él?

D. CARLOS. Sí, encuentro
una llavecita...

D. ÁLVARO. Es esa.
*(Saca DON CARLOS la llave.)*
Con ella abrid, yo os lo ruego,
a solas y sin testigos,
una caja que en el centro
hallaréis de mi maleta.
En ella con sobre y sello
un legajo hay de papeles;
custodiadlos con esmero,
y al momento que yo espire
los daréis, amigo, al fuego.

D. CARLOS. ¿Sin abrirlos?

D. ÁLVARO. *(Muy agitado.)*
Sin abrirlos,
que en ellos hay un misterio
impenetrable... ¿Palabra
me dáis, don Félix, de hacerlo?

D. CARLOS. Yo os la doy con toda el alma.

D. ÁLVARO. Entonces tranquilo muero.
Dadme el postrimer abrazo,
y adiós, adiós.

CIRUJANO.     *(Enfadado.)*
                        Al momento
              a la alcoba. Y vos, don Félix,
              si es que tenéis tanto empeño
              en que su vida se salve,
              haced que guarde silencio:
              y excusad también que os vea,
              pues se conmueve en extremo.
              *(Llévanse los soldados la camilla: entra
              también* EL CIRUJANO, *y* DON CARLOS
              *queda pensativo y lloroso.)*


                        ESCENA VIII


D. CARLOS.    ¿Ha de morir... ¡qué rigor!
              tan bizarro militar?
              Si no lo puedo salvar
              será eterno mi dolor.
              Puesto que él me salvó a mí,
              y desde el momento aquel
              que guardó mi vida él,
              guardar la suya ofrecí.          *(Pausa.)*
              Nunca vi tanta destreza
              en las armas y jamás
              otra persona de más
              arrogancia y gentileza.
              Pero es hombre singular;
              y en el corto tiempo que
              le trato rasgos noté
              que son dignos de extrañar.      *(Pausa.)*
              ¿Y de Calatrava el nombre
              por qué así le horrorizó
              cuando pronunciarlo oyó?...
              ¿Qué hallará en él que le asombre?
              ¡Sabrá que está deshonrado!...
              Será un hidalgo andaluz...

¡Cielos!... ¡Qué rayo de luz ·
sobre mí habéis derramado
en este momento!... Sí.
¿Podrá ser este el traidor,
de mi sangre deshonor,
el que a buscar vine aquí?

*(Furioso y empuñando la espada.)*

¿Y aún respira?... No, ahora mismo
a mis manos...

*(Corre hacia la alcoba y se detiene.)*

¿Dónde estoy?...
¿Ciego a despeñarme voy
de la infamia en el abismo?
¿A quien mi vida salvó,
y que moribundo está,
matar inerme podrá
un caballero cual yo?          *(Pausa.)*
¿No puede falsa salir
mi sospecha?... Sí... ¿Quién sabe?...
Pero ¡Cielos! esta llave
todo me lo va a decir.

*(Se acerca a la maleta, la abre precipitado,
y saca la caja poniéndola sobre la mesa.)*

Salid, caja misteriosa,
del destino urna fatal,
a quien con sudor mortal
toca mi mano medrosa:
me impide abrirte el temblor
que me causa el recelar,
si en tu centro voy a hallar
los pedazos de mi honor.

*(Resuelto y abriendo.)*

Mas no, que en ti mi esperanza,
la luz, que me da el destino
está para hallar camino
que me lleve a la venganza:

*(Abre y saca un legajo sellado.)*

ya el legajo tengo aquí.

¿Qué tardo el sello en romper?...
*(Se contiene.)*
¡Oh cielos! ¡Qué voy a hacer!
¿Y la palabra que di?
¿Mas si la suerte me da
tan inesperado medio
de dar a mi honor remedio,
el perderlo qué será?
Si a Italia sólo he venido
a buscar al matador
de mi padre y de mi honor,
con nombre y porte fingido,
¿qué importa que el pliego abra,
si lo que vine a buscar
a Italia, voy a encontrar?...
Pero no, di mi palabra.
Nadie, nadie aquí lo ve...
¡Cielos! lo estoy viendo yo.
Mas si él mi vida salvó,
también la suya salvé.
Y si es el infame indiano,
el seductor asesino,
¿no es bueno cualquier camino
por donde venga a mi mano?
Rompo esta cubierta, sí,
pues nadie lo ha de saber...
Mas, cielos, ¿qué voy a hacer?
¿y la palabra que di? *(Suelta el legajo.)*
No, jamás. ¡Cuán fácilmente
nos pinta nuestra pasión
una infame y vil acción
como acción indiferente!
A Italia vine anhelando
mi honor manchado lavar;
¿y mi empresa ha de empezar
el honor amancillando?
Queda, oh secreto, escondido,
si en este legajo estás;

que un medio infame, jamás
lo usa el hombre bien nacido.
                    *(Registrando la maleta.)*
Si encontrar aquí pudiera
algún otro abierto indicio,
que sin hacer perjuicio
a mi opinión, me advirtiera...
                         *(Sorprendido.)*
¡Cielos!... lo hay... esta cajilla,
            *(Saca una cajita como de retrato.)*
que algún retrato contiene;
                    *(Reconociéndola)*
ni sello ni sobre tiene,
tiene sólo una aldabilla.
Hasta sin ser indiscreto
reconocerla me es dado:
nada de ella me han hablado,
ni rompo ningún secreto.
Ábrola, pues, en buen hora,
aunque un basilisco vea:
aunque para el mundo sea
caja fatal de Pandora²⁵.
            *(La abre, y exclama muy agitado.)*
¡Cielos!... no... no me engañé,
ésta es mi hermana Leonor...
¿para qué prueba mayor?...
Con la más clara encontré.
Ya está todo averiguado;
don Álvaro es el herido.
Brújula el retrato ha sido
que mi norte me ha marcado.
¿Y a la infame... me atribulo,
con él en Italia tiene?...

---

²⁵ *Pandora,* primera mujer de la tierra que, según el mito griego, fue creada por Hefesto a petición de Júpiter. Dotada de prodigiosos encantos, descendió entre los mortales con una caja que contenía todos los males y que al abrirla se extendieron por la tierra.

Descubrirlo me conviene
con astucia y disimulo.
¡Cuán feliz será mi suerte
si la venganza y castigo
sólo de un golpe consigo,
a los dos dando la muerte!...
Mas... ¡ah!... no me precipite
mi honra, cielos, ofendida.
Guardad a este hombre la vida
para que yo se la quite.
*(Vuelve a colocar el retrato en la maleta.*
*Se oye ruido, y queda suspenso.)*


## ESCENA IX

EL CIRUJANO, *que sale muy contento*

CIRUJANO.        Albricias pediros quiero;
ya le he sacado la bala,
                                    *(Se la enseña.)*
y no es la herida tan mala
cual me pareció primero.
D. CARLOS.       *(Le abraza fuera de sí.)*
¿De veras?... Feliz me hacéis:
por ver bueno al capitán,
tengo, amigo, más afán
del que imaginar podéis.

# JORNADA CUARTA

LA ESCENA ES EN VELETRI

## ESCENA PRIMERA

*El teatro representa una sala corta, de alojamiento militar.*
DON ÁLVARO y DON CARLOS


D. CARLOS. Hoy que vuestra cuarentena
dichosamente cumplís,
¿de salud cómo os sentís?
¿Es completamente buena?...
¿Reliquia alguna notáis
de haber tanto padecido?
¿Del todo restablecido,
y listo y fuerte os halláis?

D. ÁLVARO. Estoy como si tal cosa;
nunca tuve más salud,
y a vuestra solicitud
debo mi cura asombrosa.
Sois excelente enfermero:
ni una madre por un hijo
muestra un afán más prolijo,
tan gran cuidado y esmero.

D. CARLOS. En extremo interesante
me era la vida salvaros.

D. ÁLVARO.    ¿Y con qué, amigo, pagaros
              podré interés semejante?
              Y aunque gran mal me habéis hecho
              en salvar mi amarga vida,
              será eterna y sin medida
              la gratitud de mi pecho.

D. CARLOS.    ¿Y estáis tan repuesto y fuerte,
              que sin ventaja pudiera
              un enemigo cualquiera?...

D. ÁLVARO.    Estoy, amigo, de suerte,
              que en casa del coronel
              he estado ya a presentarme,
              y de alta acabo de darme
              ahora mismo en el cuartel.

D. CARLOS.    ¿De veras?
D. ÁLVARO.                      ¿Os enojáis
              porque ayer no os dije acaso
              que iba hoy a dar este paso?
              Como tanto me cuidáis
              que os opusierais temí:
              y estando sano, en verdad,
              vivir en la ociosidad
              no era honroso para mí.

D. CARLOS.    ¿Conque ya no os duele nada,
              ni hay asomo de flaqueza
              en el pecho, en la cabeza,
              ni en el brazo de la espada?

D. ÁLVARO.    No... Pero parece que
              algo, amigo, os atormenta,
              y que acaso os descontenta
              el que yo tan bueno esté.

D. CARLOS.    ¡Al contrario!... Al veros bueno,
              capaz de entrar en acción,
              palpita mi corazón
              del placer más alto lleno.
              Solamente no quisiera
              que os engañara el valor,

|  | y que el personal vigor |
|  | en una ocasión cualquiera... |
| D. ÁLVARO. | ¿Queréis pruebas? |
| D. CARLOS. | *(Con vehemencia.)* |
|  | Las deseo. |
| D. ÁLVARO. | A la descubierta vamos |
|  | de mañana, y enredamos |
|  | un rato de tiroteo. |
| D. CARLOS. | La prueba se puede hacer, |
|  | pues que estáis fuerte, sin ir |
|  | tan lejos a combatir, |
|  | que no hay tiempo que perder. |
| D. ÁLVARO. | No os entiendo... *(Confuso.)* |
| D. CARLOS. | ¿No tendréis, |
|  | sin ir a los imperiales, |
|  | enemigos personales |
|  | con quién probaros podréis? |
| D. ALVARO | ¿A quién le faltan? Mas no |
|  | lo que me decís comprendo. |
| D. CARLOS. | Os lo está a voces diciendo |
|  | más la conciencia que yo. |
|  | Disimular fuera en vano... |
|  | vuestra turbación es harta... |
|  | ¿Habéis recibido carta |
|  | de don Álvaro el indiano? |
| D. ÁLVARO. | *(Fuera de sí.)* |
|  | ¡Ah traidor!... ¡Ah fementido! |
|  | violaste infame un secreto, |
|  | que yo débil, yo indiscreto, |
|  | moribundo... inadvertido... |
| D. CARLOS. | ¿Qué osáis pensar?... Respeté |
|  | vuestros papeles sellados, |
|  | que los que nacen honrados |
|  | se portan cual me porté. |
|  | El retrato de la infame |
|  | vuestra cómplice os perdió, |
|  | y sin lengua me pidió |
|  | que el suyo y mi honor reclame. |

|              | Don Carlos de Vargas soy,<br>que por vuestro crimen es<br>de Calatrava marqués:<br>temblad, que ante vos estoy. |

D. ÁLVARO. No sé temblar... Sorprendido,
sí, me tenéis...

D. CARLOS.                  No lo extraño.

D. ÁLVARO. ¿Y usurpar con un engaño
mi amistad, honrado ha sido?
¡Señor marqués!...

D. CARLOS.                  De esa suerte
no me permito llamar,
que sólo he de titular
después de daros la muerte.

D. ÁLVARO. Aconteceros pudiera
sin el título morir.

D. CARLOS. Vamos pronto a combatir,
quedemos o dentro o fuera.
Vamos donde mi furor...

D. ÁLVARO. Vamos, pues, señor don Carlos,
que si nunca fui a buscarlos,
no evito lances de honor.
Mas esperad, que en el alma
del que goza de hidalguía,
no es furor la valentía,
y ésta obra siempre con calma.
Sabéis que busco la muerte,
que los riesgos solicito,
pero con vos necesito
comportarme de otra suerte;
y explicaros...

D. CARLOS.                  Es perder
tiempo toda explicación.

D. ÁLVARO. No os neguéis a la razón,
que suele funesto ser.
Pues trataron las estrellas
por raros modos de hacernos
amigos, ¿a qué oponernos

a lo que buscaron ellas?
Si nos quisieron unir
de mutuos y altos servicios
con los vínculos propicios,
no fue, no, para reñir.
Tal vez fue para enmendar
la desgracia inevitable,
de que no fui yo culpable.

D. CARLOS.    ¿Y me la osáis recordar?

D. ÁLVARO.    ¿Teméis que vuestro valor
se disminuya y se asombre,
si halla en su contrario un hombre
de nobleza y pundonor?

D. CARLOS.    ¡Nobleza un aventurero!
¡Honor un desconocido!
¡Sin padre, sin apellido,
advenedizo, altanero!!!

D. ÁLVARO.    ¡Ay, que ese error a la muerte,
por más que lo evité yo,
a vuestro padre arrastró!...
no corráis la misma suerte.
Y que infundados agravios
e insultos no ofenden, muestra
el que está ociosa mi diestra
sin arrancaros los labios.
Si un secreto misterioso
romper hubiera podido,
¡oh!... cuán diferente sido...

D. CARLOS.    Guardadlo, no soy curioso.
Que sólo anhelo venganza
y sangre.

D. ÁLVARO.                    ¿Sangre?... La habrá.

D. CARLOS.    Salgamos al campo ya.

D. ÁLVARO.    Salgamos sin más tardanza.

                                    *(Deteniéndose.)*

Mas, don Carlos... ¡ah! ¿podréis
sospecharme con razón
de falta de corazón?

No, no, que me conocéis.
Si el orgullo, principal
y tan poderoso agente
en las acciones del ente
que se dice racional,
satisfecho tengo ahora,

esfuerzos no he de omitir,
hasta aplacar conseguir
ese furor que os devora.
Pues mucho repugno yo
el desnudar el acero
con el hombre que primero,
dulce amistad me inspiró.
Yo a vuestro padre no herí,
le hirió sólo su destino.
Y yo, a aquel ángel divino,
ni seduje, ni perdí.

Ambos nos están mirando
desde el cielo: mi inocencia
ven, esa ciega demencia
que os agita, condenando.

D. CARLOS.    *(Turbado.)*
¿P u e s  q u é ?...  ¿M i  h e r m a n a ?...
                                    [¿Leonor?...
(Que con vos aquí no está
lo tengo aclarado ya.)
Mas ¿cuando ha muerto?... ¡Oh furor!

D. ÁLVARO.    Aquella noche terrible
llevándola yo a un convento,
exánime, y sin aliento,
se trabó un combate horrible
al salir del olivar
entre mis fieles criados
y los vuestros irritados,
y no la pude salvar.
Con tres heridas caí,
y un negro de puro fiel,

>           (fidelidad bien cruel)
>           veloz me arrancó de allí,
>           falto de sangre y sentido:
>           tuve en Gelves [26] larga cura,
>           con accesos de locura:
>           y apenas restablecido
>           ansioso empecé a indagar
>           de mi único bien la suerte;
>           y supe ¡ay Dios! que la muerte
>           en el oscuro olivar...

D. CARLOS.  *(Resuelto.)*
            Basta, imprudente impostor;
            ¿y os preciáis de caballero?...
            ¿Con embrollo tan grosero
            queréis calmar mi furor?
            Deponed tan necio engaño:
            después del funesto día,
            en Córdoba con su tía,
            mi hermana ha vivido un año.
            Dos meses ha que fui yo
            a buscarla, y no la hallé.
            Pero de cierto indagué
            que al verme llegar huyó.
            Y el perseguirla he dejado,
            porque sabiendo yo allí
            que vos estábais aquí,
            me llamó mayor cuidado.

D. ÁLVARO   *(Muy conmovido.)*
            ¡Don Carlos!... ¡Señor!... ¡amigo!
            ¡Don Félix! ¡ah!... Tolerad
            que el nombre que en amistad
            tan tierna os unió conmigo
            use en esta situación,
            ¡Don Félix!... soy inocente;
            bien lo podéis ver patente
            en mi nueva agitación.

---

[26] *Gelves,* población cercana a Sevilla.

¡Don Félix!... ¡Don Félix!... ¡ah!...
¿Vive?... ¿vive?... ¡Oh justo Dios!

D. CARLOS.   Vive; ¿y qué os importa a vos?
muy pronto no vivirá.

D. ÁLVARO.   Don Félix, mi amigo; sí.
Pues que vive vuestra hermana
la satisfacción es llana
que debéis tomar de mí.
A buscarla juntos vamos:
muy pronto la encontraremos,
y en santo nudo estrechemos,
la amistad que nos juramos.
¡Oh!... Yo os ofrezco, yo os juro
que no os arrepentiréis,
cuando a conocer lleguéis
mi origen excelso y puro.
Al primer grande español
no le cedo en jerarquía,
es más alta mi hidalguía
que el trono del mismo sol [27].

D. CARLOS.   ¿Estáis, don Alvaro, loco?
¿Qué es lo que pensar osáis?
¿Qué proyectos abrigáis?
¿Me tenéis a mí en tan poco?
Ruge entre los dos un mar
de sangre... ¿Yo al matador
de mi padre y de mi honor
pudiera hermano llamar?
¡Oh afrenta! Aunque fuerais rey.
Ni la infame ha de vivir.
No, tras de vos va a morir,
que es de mi venganza ley.
Si a mí vos no me matáis,
al punto la buscaré,

---

[27]   Nueva alusión de don Alvaro a su muy alta cuna en el imperio
inca, el imperio del sol.

                    y la misma espada que
                    con vuestra sangre tiñáis,
                    en su corazón...

D. ÁLVARO.                        Callad.
                    Callad... ¿delante de mí
                    osásteis?...

D. CARLOS.                    Lo juro, sí;
                    lo juro...

D. ÁLVARO.              ¿El qué?... Continuad.

D. CARLOS.          La muerte de la malvada,
                    en cuanto acabe con vos.

D. ÁLVARO.          Pues no será, vive Dios,
                    que tengo brazo y espada.
                    Vamos... Libertarla anhelo
                    de su verdugo. Salid.

D. CARLOS.          A vuestra tumba venid.

D. ÁLVARO.          Demandad perdón al cielo.


## ESCENA II

*El teatro representa la plaza principal de Veletri; a un lado*
*y otro se ven tiendas y cafés, en medio puestos de frutas y*
*verduras, al fondo la guardia del principal, y el centinela*
*paseándose delante del armero; los oficiales en grupos a*
*una parte y otra, y la gente del pueblo cruzando en todas*
*direcciones.* EL TENIENTE, SUBTENIENTE *y* PEDRAZA *se*
*reunirán a un lado de la escena, mientras* LOS OFICIALES
*1.º, 2.º, 3.º y 4.º hablan entre sí, después de leer un edicto*
*que está fijado en una esquina, y que llama la atención*
*de todos*

OFICIAL 1.º—El rey Carlos de Nápoles no se
chancea: pena de muerte nada menos.

OFICIAL 2.º—¿Cómo pena de muerte?

OFICIAL 3.º—Hablamos de la ley que se acaba de
publicar, y que allí está para que nadie la ignore, sobre
desafíos.

OFICIAL 2.º—Ya, ciertamente es un poco dura.

OFICIAL 3.º—Yo no sé cómo un rey tan valiente y joven puede ser tan severo contra los lances de honor.

OFICIAL 1.º—Amigo, es que cada uno arrima el ascua a su sardina, y como siempre los desafíos suelen ser entre españoles y napolitanos, y éstos llevan lo peor, el rey, que al cabo es rey de Nápoles...

OFICIAL 2.º—No, esas son fanfarronada; pues hasta ahora no han llevado siempre lo peor los napolitanos; acordaos del mayor Caraciolo, que despabiló a dos oficiales.

TODOS.—Eso fue una casualidad.

OFICIAL 1.º—Lo cierto es que la ley es dura; pena de muerte por batirse, pena de muerte por ser padrino, pena de muerte por llevar cartas; qué sé yo. Pues el primero que caiga...

OFICIAL 2.º—No, no es tan rigurosa.

OFICIAL 1.º—¿Cómo no? Vean ustedes. Leamos otra vez. *(Se acercan a leer el edicto y se adelantan en la escena los otros.)*

SUBTENIENTE.—¡Hermoso día!

TENIENTE.—Hermosísimo. Pero pica mucho el sol.

PEDRAZA.—Buen tiempo para hacer la guerra.

TENIENTE.—Mejor es para los heridos convalecientes. Yo me siento hoy enteramente bueno de mi brazo.

SUBTENIENTE.—También parece que el valiente capitán de granaderos del Rey está enteramente restablecido. ¡Bien pronto se ha curado!

PEDRAZA.—¿Se ha dado ya de alta?

TENIENTE.—Sí, esta mañana. Está como si tal cosa; un poco pálido, pero fuerte. Hace un rato que lo encontré; iba como hacia la Alameda a dar un paseo con su amigote el ayudante don Félix de Avendaña.

SUBTENIENTE.—Bien puede estarle agradecido; pues además de haberlo sacado del campo de batalla, le ha salvado la vida con su prolija y esmerada asistencia.

TENIENTE.—También puede dar gracias a la habilidad del doctor Pérez, que se ha acreditado de ser el mejor cirujano del ejército.

SUBTENIENTE.—Y no lo perderá; pues según dicen, el ayudante, que es muy rico y generoso, le va a hacer un gran regalo.

PEDRAZA.—Bien puede; pues según me ha dicho un sargento de mi compañía, andaluz, el tal don Félix está aquí con nombre supuesto, y es un marqués riquísimo de Sevilla.

TODOS.—¿De veras? *(Se oye ruido, y se arremolinan todos mirando hacia el mismo lado.)*

TENIENTE.—¡Hola! ¿Qué alboroto es aquél?

SUBTENIENTE.—Veamos... Sin duda algún preso. Pero ¡Dios mío! ¿Qué veo?

PEDRAZA.—¿Qué es aquello?

TENIENTE.—¿Estoy soñando?... ¿No es el capitán de granaderos del Rey el que traen preso?

TODOS.—No hay duda, es el valiente don Fadrique. *(Se agrupan todos sobre el primer bastidor de la derecha, por donde sale el capitán preboste y cuatro granaderos, y en medio de ellos preso sin espada ni sombrero* DON ÁLVARO, *y atravesando la escena, seguidos por la multitud, entran en el cuerpo de guardia que está al fondo; mientras tanto se desembaraza el teatro. Todos vuelven a la escena, menos* PEDRAZA *que entra en el cuerpo de guardia.)*

TENIENTE.—Pero, señor, ¿qué será esto? ¿Preso el militar más valiente, más exacto que tiene el ejército?

SUBTENIENTE.—Ciertamente es cosa muy rara.

TENIENTE.—Vamos a averiguar...

SUBTENIENTE.—Ya viene aquí Pedraza, que sale del cuerpo de guardia, y sabrá algo. Hola, Pedraza, ¿qué ha sido?

PEDRAZA.—*(Señalando al edicto, y se reúne más gente a los cuatro oficiales.)* Muy mala causa tiene. Desafío... El primero que quebranta la ley: desafío y muerte.

TODOS.—¡Cómo!!! ¿Y con quién?

PEDRAZA.—¡Caso extrañísimo! El desafío ha sido con el teniente coronel Avendaña.

TODOS.—¡Imposible!... ¡Con su amigo!

PEDRAZA.—Muerto le deja de una estocada ahí detrás del cuartel.

TODOS.—¡Muerto!

PEDRAZA.—Muerto.

OFICIAL 1.º—Me alegro, que era un botarate.

OFICIAL 2.º—Un insultante.

TENIENTE.—¡Pues señores, la ha hecho buena! Mucho me temo que va a estrenar aquella ley.

TODOS.—¡Qué horror!

SUBTENIENTE.—Será una atrocidad. Debe haber alguna excepción a favor de oficial tan valiente y benemérito.

PEDRAZA.—Sí, ya está fresco.

TENIENTE.—El capitán Herreros es con razón el ídolo del ejército. Y yo creo, que el general y el coronel, y los jefes todos, tanto españoles como napolitanos, hablarán al rey... y tal vez...

SUBTENIENTE.—El rey Carlos es tan testarudo... y como éste es el primer caso que ocurre, el mismo día que se ha publicado la ley... No hay esperanza; ¡esta noche misma se juntará el consejo de guerra, y antes de tres días le arcabucean... Pero ¿sobre qué habrá sido el lance?

PEDRAZA.—Yo no sé, nada me han dicho. Lo que es el capitán tiene malas pulgas, y su amigote era un poco caliente de lengua.

OFICIALES 1.º y 4.º—Era un charlatán, un fanfarrón.

SUBTENIENTE.—En el café han entrado algunos oficiales del regimiento del Rey, sabrán sin duda todo el lance; vamos a hablar con ellos.

TODOS.—Sí, vamos.

## ESCENA III

*El teatro representa el cuarto de un oficial de guardia; se verá a un lado el tabladillo y el colchón, y en medio habrá una mesa y sillas de paja. Entran en la escena*

DON ÁLVARO *y* EL CAPITAN

CAPITÁN.  Como la mayor desgracia
juzgo, amigo y compañero,
el estar hoy de servicio
para ser alcaide vuestro.
Resignación, don Fadrique,
tomad una silla os ruego.
                    (*Se sienta* DON ÁLVARO.)
Y mientras yo esté de guardia
no miréis este aposento
como prisión... Mas es fuerza,
pues orden precisa tengo,
que dos centinelas ponga
de vista...

D. ÁLVARO.          Yo os agradezco,
señor, tal cortesanía.
Cumplid, cumplid al momento
con lo que os tienen mandado,
y los centinelas luego
poned... Aunque más seguro
que de hombres y armas en medio,
está el oficial de honor
bajo su palabra... ¡Oh cielos!
(*Coloca* EL CAPITAN *dos centinelas: un soldado entra luces, y se sientan* EL CAPITAN *y* DON ÁLVARO *junto a la mesa.*)
Y en Veletri, ¿qué se dice?
¿Mil necedades diversas
se esparcirán, procurando
explicar mi suerte adversa?

CAPITÁN.        En Veletri ciertamente
                no se habla de otra materia.
                Y aunque de aquí separarme
                no puedo, como está llena
                toda la plaza de gente,
                que gran interés demuestra
                por vos, a algunos he hablado...
D. ÁLVARO.      Y bien, ¿qué dicen? ¿qué piensan?
CAPITÁN.        La amistad íntima todos,
                que os enlazaba, recuerdan,
                con don Félix... y las causas
                que la hicieron tan estrecha,
                y todos dicen...
D. ÁLVARO.                      Entiendo.
                Que soy un monstruo, una fiera.
                Que a la obligación más santa
                he faltado. Que mi ciega
                furia ha dado muerte a un hombre,
                a cuyo arrojo y nobleza
                debí la vida en el campo;
                y a cuya nimia asistencia
                y esmero debí mi cura,
                dentro de su casa mesma.
                Al que como tierno hermano...
                ¡Como hermano!... ¡Suerte horrenda!
                ¿Cómo hermano?... ¡Debió serlo!
                Yace convertido en tierra
                por no serlo... ¡Y yo respiro!
                ¿Y aún el suelo me sustenta?...
                ¡Ay! ¡ay de mí!
                *(Se da una palmada en la frente y queda en
                la mayor agitación.)*
CAPITÁN.                        Perdonadme
                si con mis noticias necias...
D. ÁLVARO.      Yo lo amaba... ¡Ah, cuál me aprieta
                el corazón una mano
                de hierro ardiente! La fuerza
                me falta... ¡Oh, Dios! ¡qué bizarro,

con qué noble gentileza
entre un diluvio de balas
se arrojó, viéndome en tierra,
a salvarme de la muerte!
¡Con cuánto afán y terneza
pasó las noche y días
sentado a mi cabecera!     *(Pausa.)*

CAPITÁN.     Anuló sin duda tales
servicios con un agravio.
Diz que era un poco altanero,
picajoso, temerario;
y un hombre cual vos...

D. ÁLVARO.                         No, amigo;
cuanto de él se diga es falso.
Era un digno caballero
de pensamientos muy altos.
Retóme con razón harta,
y yo también le he matado
con razón. Sí, si aún viviera
fuéramos de nuevo al campo;
él a procurar mi muerte.
yo a esforzarme por matarlo.
O él o yo solo en el mundo,
pero imposible en él ambos.

CAPITÁN.     Calmaos, señor don Fadrique:
aún no estáis del todo bueno
de vuestras nobles heridas,
y que os pongáis malo temo.

D. ÁLVARO.     ¿Por qué no quedé en el campo
de batalla como bueno?
con honra acabado hubiera.
Y ahora ¡oh Dios!... la muerte anhelo,
y la tendré... pero ¿cómo?
en un patíbulo horrendo,
por infractor de las leyes,
de horror o de burla objeto.

CAPITÁN.     ¿Qué decís?... No hemos llegado,
señor, a tan duro extremo;

|   | aún puede haber circunstancias |
|---|---|
|   | que justifiquen el duelo, |
|   | y entonces... |
| D. ÁLVARO. | No, no hay ninguna. |
|   | Soy homicida, soy reo. |
| CAPITÁN. | Mas según tengo entendido |
|   | (ahora de mi regimiento |
|   | me lo ha dicho el ayudante), |
|   | los generales de acuerdo |
|   | con todos los coroneles |
|   | han ido sin perder tiempo |
|   | a echarse a los pies del rey, |
|   | que es benigno, aunque severo, |
|   | para pedirle... |
| D. ÁLVARO. | *Conmovido.)* |
|   | ¿De veras? |

Con el alma lo agradezco,
y el interés de los jefes
me honra y me confunde a un tiempo.
Pero ¿por qué han de empeñarse
militares tan excelsos,
en que una excepción se haga
a mi favor, de un decreto
sabio, de una ley tan justa,
a que yo falté el primero?
Sirva mi pronto castigo
para saludable ejemplo.
Muerte, es mi destino, muerte.
Porque la muerte merezco,
porque es para mí la vida
aborrecible tormento.
Mas ¡ay de mí sin ventura!
¿Cuál es la muerte que espero?
La del criminal, sin honra,
¡en un patíbulo!!!... ¡Cielos!!!

*(Se oye un redoble.)*

## ESCENA IV

### LOS MISMOS *y* EL SARGENTO

SARGENTO.     Mi capitán...
CAPITÁN.                 ¿Qué se ofrece?
SARGENTO.     El mayor.
CAPITÁN.             Voy al momento.      *(Vase.)*

## ESCENA V

### DON ÁLVARO

D. ÁLVARO.     ¡Leonor! ¡Leonor! Si existes, desdi-
¡oh qué golpe te espera,        [chada,
cuando la nueva fiera
te llegue adonde vives retirada,
de que la misma mano,
la mano ¡ay triste! mía,
que te privó de padre y de alegría
acaba de privarte de un hermano!
No; te ha librado, sí, de un enemigo,
de un verdugo feroz, que por castigo
de que diste en tu pecho
acogida a mi amor, verlo deshecho,
y roto, y palpitante
preparaba anhelante,
y con su brazo mismo
de su venganza hundirte en el abismo.
Respira, sí, respira,
que libre estás de su tremenda ira.
                           *(Pausa.)*
¡Ay de mí!, tú vivías,
y yo lejos de ti, muerte buscaba;
y sin remedio las desgracias mías
despechado juzgaba:

mas tú vives, mi cielo,
y aún aguardo un instante de consuelo.
¿Y qué espero? ¡infeliz! de sangre un río
que yo no derramé, serpenteaba
entre los dos; mas ahora el brazo mío
en mar inmenso de tornarlo acaba.
¡Hora de maldición, aciaga hora
fue aquella en que te vi la vez primera
en el soberbio templo de Sevilla,
como un ángel bajado de la esfera,
en donde el trono del Eterno brilla!
¡Qué porvenir dichoso
vio mi imaginación por un momento,
que huyó tan presuroso
como al soplar de repentino viento
las torres de oro, y montes argentinos,
y colosos, y fúlgidos follajes
que forman los celajes
en otoño a los rayos matutinos!

                      *(Pausa.)*

Mas ¡en qué espacio vago, en qué re-
fantásticas! ¿Qué espero?     [giones
¡Dentro de breves horas,
lejos de las mundanas afecciones
vanas y engañadoras,
iré de Dios al tribunal severo! *(Pausa.)*
¿Y mis padres?... Mis padres desdi-
aún yacen encerrados        [chados
en la prisión horrenda de un castillo...
cuando con mis hazañas y proezas
pensaba restaurar su nombre y brillo,
y rescatar sus míseras cabezas.
No me espera más suerte
que como criminal, infame muerte.
      *(Queda sumergido en el despecho.)*

## ESCENA VI

### DON ÁLVARO, EL CAPITÁN

CAPITÁN.     Hola, amigo y compañero...
D. ÁLVARO.   ¿Vais a darme alguna nueva?
             ¿Para cuándo convocado
             está el consejo de guerra?
CAPITÁN.     Dicen que esta noche misma
             debe reunirse a gran priesa...
             De hierro, de hierro tiene
             el rey Carlos la cabeza.
D. ÁLVARO.   Es un valiente soldado,
             es un gran rey.
CAPITÁN.                     Mas pudiera
             no ser tan tenaz y duro.
             Pues nadie, nadie lo apea
             en diciendo no.
D. ÁLVARO.                   En los reyes
             la debilidad es mengua.
CAPITÁN.     Los jefes y generales
             que hoy en Veletri se encuentran
             han estado en cuerpo a verle,
             y a rogarle suspendiera
             la ley en favor de un hombre
             que tanto méritos cuenta...
             Y todo sin fruto. Carlos,
             aún más duro que una peña,
             ha dicho que no, resuelto,
             y que la ley se obedezca:
             mandando que en esta noche
             falle el consejo de guerra.
             Mas aún quedan esperanzas,
             puede ser que el fallo sea...
D. ÁLVARO.   Según la ley. No hay remedio,
             injusta otra cosa fuera.

CAPITÁN.        Pero ¡qué pena tan dura,
                tan extraña, tan violenta...!
D. ÁLVARO.      La muerte. Como cristiano
                la sufriré: no me aterra.
                Dármela Dios no ha querido
                con honra y con fama eterna
                en el campo de batalla;
                y me la da con afrenta
                en un patíbulo infame...
                Humilde la aguardo... venga.
CAPITÁN.        No será acaso... aún veremos...
                puede que se arme una gresca...
                El ejército os adora...
                Su agitación es extrema,
                y tal vez un alboroto...
D. ÁLVARO.      Basta... ¿qué decís? ¿tal piensa
                quien de militar blasona?
                ¿El ejército pudiera
                faltar a la disciplina
                ni yo deber mi cabeza
                a una rebelión?... No, nunca,
                que jamás, jamás suceda
                tal desorden por mi causa.
CAPITÁN.        La ley es atroz, horrenda.
D. ÁLVARO.      Yo la tengo por muy justa;
                forzoso remediar era
                un abuso... *(Se oye un tambor y dos tiros.)*
CAPITÁN.                    ¿Qué?
D. ÁLVARO.                        ¿Escuchasteis?
CAPITÁN.        El desorden ya comienza.
                *(Se oye gran ruido; tiros, confusión y caño-*
                *nazos, que van en aumento hasta el fin del*
                *acto.)*

## ESCENA VII

LOS MISMOS *y* EL SARGENTO, *que entra muy presuroso*

SARGENTO.—¡Los alemanes! los enemigos están en Veletri ¡Estamos sorprendidos!

VOCES DENTRO.—¡A las armas! *(Sale el oficial un instante, se aumenta el ruido, y vuelve con la espada desnuda.)*

CAPITÁN.—Don Fadrique, escapad: no puedo guardar más vuestra persona: andan los nuestros y los imperiales mezclados por las calles; arde el palacio del rey; hay una confusión espantosa; tomad vuestro partido. Vamos, hijos, a abrirnos paso como valientes, o a morir como españoles. *(Vanse* EL CAPITÁN, LOS CENTINELAS *y* EL SARGENTO.)*

## ESCENA VIII

D. ÁLVARO.　Denme una espada, volaré a la muerte:
　　　　　　y si es vivir mi suerte,
　　　　　　y no la logro en tanto desconcierto,
　　　　　　yo os hago, eterno Dios, voto profundo
　　　　　　de renunciar al mundo,
　　　　　　y de acabar mi vida en un desierto.

# JORNADA QUINTA

## LA ESCENA ES EN EL CONVENTO DE LOS ANGELES Y SUS ALREDEDORES

## ESCENA PRIMERA

*El teatro representa lo interior del claustro bajo del convento de los Angeles, que debe ser una galería mezquina alrededor de un patiecillo, con naranjos, adelfas y jazmines. A la izquierda se verá la portería, a la derecha la escalera. Debe de ser decoración corta, para que detrás estén las otras por su orden. Aparecen* EL PADRE GUARDIAN *paseándose gravemente por el proscenio, y leyendo en su breviario.* EL HERMANO MELITON *sin manto, arremangado, y repartiendo con un cucharón, de un gran caldero, la sopa, al* VIEJO, *al* COJO, *al* MANCO, *a la* MUJER *y al grupo de pobres que estará apiñado en la portería*

HERMANO MELITON.—Vamos, silencio y orden, que no están en ningún figón.

MUJER.—Padre, a mí, a mí.

VIEJO.—¿Cuántas raciones quiere, Marica?...

COJO.—Ya le han dado tres, y no es regular...

HERMANO MELITON.—Callen, y sean humildes, que me duele la cabeza.

MANCO.—Marica ha tomado tres raciones.

MUJER.—Y aún voy a tomar cuatro, que tengo seis chiquillos.

HERMANO MELITÓN.—¿Y por qué tiene seis chiquillos?... Sea su alma.

MUJER.—Porque me los ha dado Dios.

HERMANO MELITÓN.—Sí... Dios... Dios... No los tendría si se pasara las noches como yo rezando el rosario, o dándose disciplina.

PADRE GUARDIÁN.—(Con gravedad.) ¡Hermano Melitón!... ¡Hermano Melitón!... ¡Válgame Dios!

HERMANO MELITÓN.—Padre nuestro, si estos desesperados tienen una fecundidad que asombra.

COJO.—A mí, padre Melitón, que tengo ahí fuera a mi madre baldada.

HERMANO MELITÓN.—¡Hola!... ¿También ha venido hoy la bruja? Pues no nos falta nada.

PADRE GUARDIÁN.—¡Hermano Melitón!

MUJER.—Mis cuatro raciones.

MANCO.—A mí antes.

VIEJO.—A mí.

TODOS.—A mí, a mí...

HERMANO MELITÓN.—Váyanse noramala, y tengan modo... ¿a que les doy con el cucharón?...

PADRE GUARDIÁN.—Caridad, hermano, caridad, que son hijos de Dios.

HERMANO MELITÓN.—(Sofocado.) Tomen, y vayanse...

MUJER.—Cuando nos daba la guiropa [28] el padre Rafael lo hacía con más modo y con más temor de Dios.

HERMANO MELITÓN.—Pues llamen al padre Rafael... que no los pudo aguantar ni una semana.

VIEJO.—Hermano, ¿me quiere dar otro poco de bazofia?...

HERMANO MELITÓN.—¡Galopo!... ¿Bazofia llama a la gracia de Dios?...

PADRE GUARDIÁN.—Caridad y paciencia, hermano Melitón; harto trabajo tienen los pobrecitos.

---

[28]  *guiropa*, 'sopa, guiso'.

HERMANO MELITON.—Quisiera yo ver a V. Rma. [29] lidiar con ellos un día, y otro, y otro.

COJO.—El padre Rafael...

HERMANO MELITON.—No me jeringuen con el padre Rafael... y... tomen las arrebañaduras *(Les reparte los restos del caldero, y lo echa a rodar de una patada)*, y a comerlo al sol.

MUJER.—Si el padre Rafael quisiera bajar a decirle los Evangelios a mi niño que tiene sisiones... [30]

HERMANO MELITON.—Tráigalo mañana, cuando salga a decir misa el padre Rafael.

COJO.—Si el padre Rafael quisiera venir a la villa a curar a mi compañero, que se ha caído.

HERMANO MELITON.—Ahora no es hora de ir a hacer milagros: por la mañanita, por la mañanita con la fresca.

MANCO.—Si el padre Rafael...

HERMANO MELITON.—*(Fuera de sí.)* Ea, ea, fuera... al sol... ¡Cómo cunde la semilla de los perdidos! Horrio... [31], afuera. *(Los va echando con el cucharón y cierra la portería, volviendo luego muy sofocado y cansado donde está* EL GUARDIAN.*)*


## ESCENA II

EL PADRE GUARDIAN *y* EL HERMANO MELITON

HERMANO MELITON.—No hay paciencia que baste, padre nuestro.

PADRE GUARDIÁN.—Me parece, hermano Melitón, que no os ha dotado el Señor con gran cantidad de ella. Considere que en dar de comer a los pobres de Dios, desempeña un ejercicio de que se honraría un ángel.

HERMANO MELITON.—Yo quisiera ver a un ángel en

---

[29]  *V. Rma.,* 'vuestra reverendísima'.
[30]  *sisiones*, 'ciciones, fiebres tercianas'.
[31]  *horrio,* exclamación vulgar.

mi lugar siquiera tres días... puede ser que de cada guantada...

PADRE GUARDIÁN.—No diga disparates.

HERMANO MELITÓN.—Pues sí es verdad. Yo lo hago con mucho gusto, eso es otra cosa. Y bendito sea el Señor, que nos da bastante para que nuestras sobras sirvan de sustento a los pobres. Pero es preciso enseñarles los dientes... Viene entre ellos mucho pillo... Los que están tullidos y viejos, vengan enhorabuena, y les daré hasta mi ración, el día que no tenga mucha hambre; pero jastiales [32] que pueden derribar a puñadas un castillo, váyanse a trabajar. Y hay algunos tan insolentes... hasta llaman bazofia a la gracia de Dios... Lo mismo que restregarme siempre por los hocicos al padre Rafael; toma si nos daba más, daca si tenía mejor modo, torna si era más caritativo, vuelta si no metía tanta prisa. Pues a fe, a fe, que el bendito padre Rafael se hartó de pobres y de guiropa, y se metió en su celda, y aquí quedó el hermano Melitón. Y por cierto no sé por qué esta canalla dice que tengo mal genio. Pues el padre Rafael también tiene su piedra en el rollo [33], y sus prontos, y sus ratos de murria como cada cual.

PADRE GUARDIÁN.—Basta, hermano, basta. El padre Rafael no podía, teniendo que cuidar del altar, y que asistir al coro, entender en el repartimiento de la limosna: ni éste ha sido nunca encargo de un religioso antiguo, sino incumbencia del portero... ¿Me entiende?... Y, hermano Melitón, tenga más humildad, y no se ofenda cuando prefieran al padre Rafael, que es un siervo de Dios a quien todos debemos imitar.

HERMANO MELITÓN.—Yo no me ofendo de que prefieran al padre Rafael. Lo que digo es que tiene su genio. Y a mí me quiere mucho, padre nuestro, y

---

[32] *jastiales,* 'hastiales', hombres fuertes y rústicos.

[33] *su piedra en el rollo,* según el contexto, carácter fuerte; aunque la expresión, según Covarrubias y el Diccionario de Autoridades, se refiere a una persona que tiene fuerza y distinción en el pueblo.

echamos nuestras manos de conversación. Pero tiene de cuando en cuando unas salidas, y se da unas palmadas en la frente..., y habla solo, y hace visajes como si viera algún espíritu.

PADRE GUARDIÁN.—Las penitencias, los ayunos...

HERMANO MELITÓN.—Tiene cosas muy raras. El otro día estaba cavando en la huerta, y tan pálido y tan desemejado, que le dije en broma: padre, parece un mulato; y me echó una mirada, y cerró el puño, y aún lo enarboló de modo, que parecía que me iba a tragar. Pero se contuvo, se echó la capucha y desapareció; digo, se marchó de allí a buen paso.

PADRE GUARDIÁN.—Ya.

HERMANO MELITÓN.—Pues el día que fue a Hornachuelos a auxiliar al alcalde, cuando estaba en toda su furia aquella tormenta en que nos cayó la centella sobre el campanario, al verlo yo salir sin cuidarse del aguacero, ni de los truenos que hacían temblar estas montañas, le dije por broma que parecía entre los riscos un indio bravo, y me dio un berrido que me aturrulló... Y como vino al convento de un modo tan raro, y nadie lo viene nunca a ver, ni sabemos dónde nació...

PADRE GUARDIÁN.—Hermano, no haga juicios temerarios. Nada tiene de particular eso, ni el modo con que vino a esta casa el padre Rafael es tan raro como dice. El padre limosnero que venía de Palma, se lo encontró muy mal herido en los encinares de Escalona, junto al camino de Sevilla, víctima sin duda de los salteadores, que nunca faltan en semejante sitio; y lo trajo al convento, donde Dios sin duda le inspiró la vocación de tomar nuestro santo escapulario, como lo verificó en cuanto se vio restablecido, y pronto hará cuatro años. Esto no tiene nada de particular.

HERMANO MELITÓN.—Ya, eso sí... Pero, la verdad, siempre que lo miro me acuerdo de aquello que V. Rma., nos ha contado muchas veces, y también se nos ha leído en el refectorio, de cuando se hizo fraile de nuestra orden el demonio, y que estuvo allá en un con-

vento algunos meses. Y se me ocurre si el padre Rafael
será alguna cosa así... pues tiene unos repentes, una
fuerza, y un mirar de ojos...

PADRE GUARDIÁN.—Es cierto, hermano mío; así
consta de nuestras crónicas, y está consignado en nuestros archivos. Pero, además de que rara vez se repiten
tales milagros, entonces el Guardián de aquel convento
en que ocurrió el prodigio, tuvo una revelación que le
previno de todo. Y lo que es yo, hermano mío, no he
tenido hasta ahora ninguna. Conque tranquilícese, y no
caiga en la tentación de sospechar del padre Rafael.

HERMANO MELITÓN.—Yo, nada sospecho.

PADRE GUARDIÁN.—Le aseguro que no he tenido revelación.

HERMANO MELITÓN.—Ya, pues, entonces... Pero
tiene muchas rarezas el padre Rafael.

PADRE GUARDIÁN.—Los desengaños del mundo,
las tribulaciones... Y luego, el retiro con que vive, las
continuas penitencias... *(Suena la campanilla de la portería.)* Vaya a ver quién llama.

HERMANO MELITÓN.—¿A que son otra vez los
pobres? Pues ya está limpio el caldero... *(Suena otra vez
la campanilla.)* No hay más limosna; se acabó por hoy,
se acabó. *(Suena otra vez la campanilla.)*

PADRE GUARDIÁN.—Abra, hermano, abra la puerta.
*(Vase.) (Abre el lego la portería.)*


## ESCENA III

EL HERMANO MELITÓN *y* DON ALFONSO *vestido
de monte, que sale embozado*


D. ALFONSO. *(Con muy mal modo, y sin desembozarse.)*
        De esperar me he puesto cano.
        ¿Sois vos por dicha el portero?
H. MELITÓN. Tonto es este caballero.        *(Aparte.)*
        Pues que abrí la puerta, es llano. *(Alto.)*

Y aunque de portero estoy,
no me busque las cosquillas,
que padre de campanillas
con olor de santo soy.

D. ALFONSO. ¿El padre Rafael está?
Tengo que verme con él.

H. MELITÓN ¡Otro padre Rafael!                    (Aparte.)
amostazándome va.

D. ALFONSO. Responda pronto.

H. MELITÓN. (Con miedo.)
                              Al momento.
padres Rafaeles... hay dos.
¿Con cuál queréis hablar vos?

D. ALFONSO. Para mí más que haya ciento.
El padre Rafael...            (Muy enfadado.)

H. MELITÓN.                    ¿El gordo?
¿El natural de Porcuna?
No os oirá cosa ninguna,
que es como una tapia sordo.
Y desde el pasado invierno
en la cama está tullido;
noventa años ha cumplido.
El otro es...

D. ALFONSO.                    El del infierno.

H. MELITÓN. Pues ahora caigo en quién es:
el alto, adusto, moreno,
ojos vivos, rostro lleno...

D. ALFONSO. Llevadme a su celda, pues.

H. MELITÓN. Daréle aviso primero,
porque si está en oración,
disturbarle no es razón...
¿Y quién diré?

D. ALFONSO.                    Un caballero.

H. MELITÓN. (Yéndose hacia la escalera muy lentamente,
dice aparte.)
¡Caramba!... ¡Qué raro gesto!
Me da malísima espina,
y me huele a chamusquina...

D. ALFONSO. *(Muy irritado.)*
¿Qué aguarda? Subamos presto.
*(El hermano se asusta y sube la escalera, y detrás de él* DON ALFONSO.)


## ESCENA IV

*El teatro representa la celda de un franciscano. Una tarima con una estera a un lado, un vasar con una jarra y vasos, un estante con libros, estampas, disciplinas y cilicios colgados. Una especie de oratorio pobre, y en su mesa una calavera.* DON ÁLVARO, *vestido de fraile franciscano, aparece de rodillas en profunda oración mental*

DON ÁLVARO *y el* HERMANO MELITÓN

H. MELITÓN. ¡Padre, padre!                              *(Dentro.)*
D. ÁLVARO.  *(Levantándose.)*
                                        ¿Qué se ofrece?
            Entre, hermano Melitón.
H. MELITÓN. Padre, aquí os busca un matón, *(Entra.)*
            que muy ternejal [34] parece.
D. ÁLVARO.  *(Receloso.)*
                    ¿Quién, hermano?... ¿A mí?... ¿su
H. MELITÓN. Lo ignoro; muy altanero,       [nombre?
            dice que es un caballero,
            y me parece un mal hombre.
            Él muy bien portado viene,
            y en un andaluz rocín:
            pero un genio muy ruin
            y un tono muy duro tiene.
D. ÁLVARO.  Entre al momento quien sea.
H. MELITÓN. No es un pecador contrito.
            Se quedará tamañito,             *(Aparte.)*
            al instante que lo vea.          *(Vase.)*

---
[34] *ternejal*, 'robusto'.

## ESCENA V

D. ÁLVARO.   ¿Quién podrá ser?... No lo acierto.
Nadie, en estos cuatro años,
que huyendo de los engaños
del mundo, habito el desierto,
con este sayal cubierto,
ha mi quietud disturbado.
¿Y hoy un caballero osado
a mi celda se aproxima?
¿Me traerá nuevas de Lima?...
¡Santo Dios!... ¡qué he recordado!

## ESCENA VI

DON ÁLVARO y DON ALFONSO *que entra sin desembozarse, reconoce en un momento la celda, y luego cierra la puerta por dentro, y echa el pestillo*

D. ALFONSO.   ¿Me conocéis?
D. ÁLVARO.                    No, señor.
D. ALFONSO.   No veis en mis ademanes
rasgo alguno que os recuerde
de otro tiempo y de otros males?
¿No palpita vuestro pecho,
no se hiela vuestra sangre,
no se anonada y confunde
vuestro corazón cobarde
con mi presencia?... O por dicha,
¿es tan sincero, es tan grande,
tal vuestro arrepentimiento,
que ya no se acuerda el padre
Rafael, de aquel indiano
don Álvaro, del constante
azote de una familia
que tanto en el mundo vale?

¿Tembláis y bajáis los ojos?
Alzadlos, pues, y miradme.
*(Descubriéndose el rostro y mostrándo-*
*selo.)*

D. ÁLVARO.   ¡Oh Dios!... ¡Qué veo! ¡Dios mío!
¿Pueden mis ojos burlarme?
¡Del marqués de Calatrava
viendo estoy la viva imagen!

D. ALFONSO.  Basta, que está dicho todo.
De mi hermano y de mi padre
me está pidiendo venganza
en altas voces la sangre.
Cinco años ha que recorro
con dilatados viajes
el mundo, para buscaros;
y aunque ha sido todo en balde,
el cielo (que nunca impunes
deja las atrocidades
de un monstruo, de un asesino,
de un seductor, de un infame),
por un imprevisto acaso
quiso por fin indicarme
el asilo donde a salvo
de mi furor os juzgaste.
Fuera el mataros inerme
indigno de mi linaje.
Fuiste valiente, robusto
aún estáis para un combate:
armas no tenéis, lo veo;
yo dos espadas iguales
traigo conmigo, son éstas;
        *(Se desemboza y saca dos espadas.)*
elegid la que os agrade.

D. ÁLVARO.   *(Con gran calma, pero sin orgullo.)*
Entiendo, joven, entiendo,
sin que escucharos me pasme,
porque he vivido en el mundo
y apurado sus afanes.

De los vanos pensamientos
que en este punto en vos arden,
también el juguete he sido;
quiera el Señor perdonarme.

Víctima de mis pasiones,
conozco todo el alcance
de su influjo, y compadezco
al mortal a quien combaten.
Mas ya sus borrascas miro
como el náufrago, que sale
por un milagro a la orilla,
y jamás torna a embarcarse.

Este sayal que me viste,
esta celda miserable,
este yermo, a donde acaso
Dios por vuestro bien os trae,
desengaños os presentan
para calmaros bastantes;
y más os responden mudos
que pueden labios mortales.
Aquí de mis muchas culpas,
que son ¡ay de mí! harto grandes,
pido a Dios misericordia:
que la consiga dejadme.

D. ALFONSO.  ¿Dejaros?... ¿quién?... ¿Yo dejaros
sin ver vuestra sangre impura
vertida por esta espada
que arde en mis manos desnuda?
Pues esta celda, el desierto,
ese sayo, esa capucha,
ni a un vil hipócrita guardan,
ni a un cobarde infame escudan.

D. ÁLVARO.  ¿Qué decís?... ¡Ah!...          *(Furioso.)*
*(Reportándose.)*       ¡No, Dios mío!...
En la garganta se anuda
mi lengua... ¡Señor!... esfuerzo
me dé vuestra santa ayuda.

Los insultos y amenazas        *(Repuesto.)*
que vuestros labios pronuncian
no tienen para conmigo
poder ni fuerza ninguna.

Antes como caballero
supe vengar las injurias;
hoy, humilde religioso,
darles perdón y disculpa.
Pues veis cuál es ya mi estado,
y, si sois sagaz, la lucha
que conmigo estoy sufriendo,
templad vuestra saña injusta.

Respetad este vestido,
compadeced mis angustias,
y perdonad generoso
ofensas que están en duda.
                              *(Con gran conmoción.)*

¡Sí, hermano, hermano!

D. ALFONSO.                              ¿Qué nombre
osáis pronunciar?...

D. ÁLVARO.                        ¡Ah!...

D. ALFONSO.                              Una
sola hermana me dejasteis,
perdida y sin honra... ¡Oh furia!!!

D. ÁLVARO.   ¡Mi Leonor!!! ¡Ah! No sin honra,
un religioso os lo jura.
Leonor... ¡ay! la que absorbía
toda mi existencia junta.    *(En delirio.)*

La que en mi pecho, por siempre...
por siempre, sí, sí... que aún dura...
una pasión... ¿Y qué, vive?
¿sabéis vos noticias suyas?...
Decid que me ama, y matadme,
decidme... ¡Oh Dios!... ¿me rehúsa
                              *(Aterrado.)*
vuestra gracia sus auxilios?
¿De nuevo el triunfo asegura

el infierno, y se desploma
mi alma en su sima profunda?
¡Misericordia!... Y vos, hombre
o ilusión, ¿sois por ventura
un tentador que renueva
mis criminales angustias
para perderme?... ¡Dios mío!

D. ALFONSO.  *(Resuelto.)*
De estas dos espadas, una
tomad, don Álvaro, luego,
tomad: que en vano procura
vuestra infame cobardía
darle treguas a mi furia.
Tomad...

D. ÁLVARO.  *(Retirándose.)*
                No, que aún fortaleza
para resistir la lucha
de las mundanas pasiones
me da Dios con bondad suma.
¡Ah! si mis remordimientos,
mis lágrimas, mis confusas
palabras, no son bastante
para aplacaros; si escucha
mi arrepentimiento humilde
sin caridad vuestra furia,

                              *(Arrodíllase.)*
prosternado a vuestras plantas
vedme, cual persona alguna
jamás me vio...

D. ALFONSO.  *(Con desprecio.)*
                      Un caballero
no hace tal infamia nunca.
Quién sois bien claro publica
vuestra actitud, y la inmunda
mancha que hay en vuestro escudo.

D. ÁLVARO.  *(Levantándose con furor.)*
¿Mancha?... y ¿cuál?... ¿cuál?

D. ALFONSO.
                              ¿Os asusta?

D. ALVARO.  Mi escudo es como el sol limpio,
            como el sol [35].
D. ALFONSO.                      ¿Y no lo anubla
            ningún cuartel de mulato?
            ¿De sangre mezclada, impura...?
D. ÁLVARO.  *(Fuera de sí.)*
            ¡Vos mentís, mentís, infame!
            Venga el acero; mi furia
                *(Toca el pomo de una de las espadas.)*
            os arrancará la lengua
            que mi clara estirpe insulta.
            Vamos.
D. ALFONSO.          No... no triunfe
D. ÁLVARO   *(Reportándose.)*          No... no triunfe
            tampoco con esta industria
            de mi constancia el infierno.
            Retiraos, señor.
D. ALFONSO. *(Furioso.)*          ¿Te burlas
            de mí, inicuo? Pues cobarde
            combatir conmigo excusas,
            no excusarás mi venganza.
            Me basta la afrenta tuya:
            toma.                    *(Le da una bofetada.)*
D. ÁLVARO.  *(Furioso y recobrando toda su energía.)*
                    ¿Qué hiciste?... ¡insensato!!!
            ya tu sentencia es segura:
            hora es de muerte, de muerte.
            El infierno me confunda.
                          *(Salen ambos precipitados.)*

---

[35] Obsérvese cómo siempre que se toca el delicado tema del misterioso origen del protagonista se hace referencia al sol por parte de éste.

## ESCENA VII

*El teatro representa el mismo claustro bajo que en las primeras escenas de esta jornada.* EL HERMANO MELITON *saldrá por un lado, y como bajando la escalera:* DON ÁLVARO *y* DON ALFONSO, *embozado en su capa, con gran precipitación*

HERMANO MELITÓN.—*(Saliéndole al paso.)* ¿A dónde bueno?

DON ÁLVARO.—*(Con voz terrible.)* Abra la puerta.

HERMANO MELITON.—La tarde está tempestuosa, va a llover a mares.

DON ÁLVARO.—Abra la puerta.

HERMANO MELITON.—*(Yendo hacia la puerta.)* ¡Jesús!... Hoy estamos de marea alta... ya voy... ¿quiere que le acompañe?... ¿hay algún enfermo de peligro en el cortijo...?

DON ÁLVARO.—La puerta pronto.

HERMANO MELITÓN.—*(Abriendo la puerta.)* ¿Va el padre a Hornachuelos?

DON ÁLVARO.—*(Saliendo con* DON ALFONSO.) Voy al infierno.

*(Queda* EL HERMANO MELITON *asustado.)*

## ESCENA VIII

H. MELITON. ¡Al infierno!... ¡buen viaje!
Ｔambién que era del infierno
dijo, para mi gobierno,
aquel nuevo personaje.
¡Jesús, y qué caras tan!...
Me temo que mis sospechas
han de quedar satisfechas.
Voy a ver por dónde van.

*(Se acerca a la portería y dice como admirado):*

¡Mi gran padre San Francisco
me valga!... Van por la sierra,
sin tocar con el pie en tierra,
saltando de risco en risco.
Y el jaco los sigue en pos
como un perrillo faldero.
Calla... hacia el despeñadero
de la ermita van los dos.

*(Asomándose a la puerta con gran afán: a voces.)*

¡Hola!... ¡Hermanos!... ¡Hola!...
No lleguen al paredón,                    [¡Digo!...
miren que hay excomunión.
Que Dios les va a dar castigo.

*(Vuelve a la escena.)*

No me oyen, vano es gritar.
Demonios son, es patente.
Con el santo penitente
sin duda van a cargar.
¡El padre, el padre Rafael!...
Si quien piensa mal, acierta.
Atrancaré bien la puerta...
pues tengo un miedo cruel.

*(Cierra la puerta.)*

Un olorcillo han dejado
de azufre... Voy a tocar
las campanas.

*(Vase por un lado, y luego vuelve por otro con gran miedo.)*

                    Avisar
será mejor al prelado.
Sepa que en esta ocasión
aunque refunfuñe luego,
no el padre Guardián, el lego
tuvo la revelación.                    *(Vase.)*

## ESCENA IX

*El teatro representa un valle rodeado de riscos inaccesibles y de malezas, atravesado por un arroyuelo. Sobre un peñasco accesible con dificultad, y colocado al fondo, habrá una medio gruta, medio ermita con puerta practicable, y una campana que pueda sonar y tocarse desde dentro: el cielo representará el ponerse el sol de un día borrascoso, y se irá oscureciendo lentamente la escena y aumentándose los truenos y relámpagos,* DON ÁLVARO *y* DON ALFONSO *salen por un lado*

D. ALFONSO.  De aquí no hemos de pasar.

D. ÁLVARO.  No, que tras de estos tapiales,
bien sin ser vistos, podemos
terminar nuestro combate.
Y aunque en hollar este sitio
cometo un crimen muy grande,
hoy es de crímenes día,
y todos han de apurarse.
De uno de los dos la tumba
se está abriendo en este instante.

D. ALFONSO.  Pues no perdamos más tiempo
y que las espadas hablen.

D. ÁLVARO.  Vamos: mas antes es fuerza
que un gran secreto os declare,
pues que de uno de nosotros
es la muerte irrevocable:
y si yo caigo es forzoso
que sepáis en este trance
a quién habéis dado muerte,
que puede ser importante.

D. ALFONSO.  Vuestro secreto no ignoro.
y era el mejor de mis planes,
(para la sed de venganza
saciar que en mis venas arde)
después de heriros de muerte
daros noticias tan grandes,

tan impensadas y alegres,
de tan feliz desenlace,
que al despecho de saberlas,
de la tumba en los umbrales,
cuando no hubiese remedio,
cuando todo fuera en balde,
el fin espantoso os diera,
digno de vuestras maldades.

D. ÁLVARO.   Hombre, fantasma o demonio,
que ha tomado humana carne
para hundirme en los infiernos,
para perderme... ¿qué sabes?...

D. ALFONSO.  Corrí el nuevo mundo... ¿tiemblas?...
vengo de Lima... esto baste.

D. ÁLVARO.   No basta, que es imposible
que saber quién soy lograses.

D. ALFONSO.  De aquel virrey fementido
que (pensando aprovecharse
de los trastornos y guerras,
de los disturbios y males
que la sucesión al trono
trajo a España) [36] formó planes
de tornar su virreinato
en imperio, y coronarse,
casando con la heredera
última de aquel linaje
de los Incas (que en lo antiguo,
del mar del Sur a los Andes
fueron los emperadores)
eres hijo. De tu padre
las traiciones descubiertas,
aún a tiempo de evitarse,
con su esposa, en cuyo seno
eras tú ya peso grave,

---

[36] La Guerra de Sucesión por la Corona de España a la muerte de Carlos II, que terminaría con el asentamiento de la nueva dinastía francesa de los Borbones en la persona de Felipe V.

huyó a los montes, alzando
entre los indios salvajes
de traición y rebeldía
el sacrílego estandarte.
No los ayudó fortuna,
pues los condujo a la cárcel
de Lima, do tú naciste...
(*Hace extremos de indignación y sorpresa*
DON ÁLVARO.)
Oye... espera hasta que acabe.
El triunfo del rey Felipe
y su clemencia notable,
suspendieron la cuchilla
que ya amagaba a tus padres;
y en una prisión perpetua
convirtió el suplicio infame.
Tú entre los indios creciste,
como fiera te educaste,
y viniste ya mancebo
con oro y con favor grande,
a buscar completo indulto
para tus traidores padres.
Mas no, que viniste sólo
para asesinar cobarde,
para seducir inicuo,
y para que yo te mate.

D. ÁLVARO.    Vamos a probarlo al punto. *(Despechado.)*
D. ALFONSO.   Ahora tienes que escucharme,
que has de apurar, vive el cielo,
hasta las heces el cáliz.
Y si, por ser mi destino,
consiguieses el matarme,
quiero allá en tu aleve pecho
todo un infierno dejarte.
El rey benéfico acaba
de perdonar a tus padres.
Ya están libres y repuestos
en honras y dignidades.

La gracia alcanzó tu tío,
que goza favor notable,
y andan todos tus parientes.
afanados por buscarte
para que tenga heredero...

D. ÁLVARO.  *(Muy turbado y fuera de sí.)*
Ya me habéis dicho bastante...
No sé dónde estoy, ¡oh cielos!...
Si es cierto, si son verdades
las noticias que dijisteis...
                    *(Enternecido y confuso.)*
¡Todo puede repararse!
Si Leonor existe, todo:
¿veis lo ilustre de mi sangre?...
¿Veis?...

D. ALFONSO.              Con sumo gozo veo
que estáis ciego y delirante.
¿Qué es reparación?... Del mundo
amor, gloria, dignidades
no son para vos... Los votos
religiosos e inmutables
que os ligan a este desierto,
esa capucha, ese traje,
capucha y traje que encubren
a un desertor, que al infame
suplicio escapó en Italia,
de todo incapaz os hacen.
Oye cuál truena indignado      *(Truena.)*
contra ti el cielo... Esta tarde
completísimo es mi triunfo.
Un sol hermoso y radiante
te he descubierto, y de un soplo
luego he sabido apagarle.

D. ÁLVARO.  *(Volviendo al furor.)*
¿Eres monstruo del infierno,
prodigio de atrocidades?

D. ALFONSO.  Soy un hombre rencoroso
que tomar venganza sabe.

> Y porque sea más completa,
> te digo que no te jactes
> de noble... eres un mestizo,
> fruto de traiciones.

D. ÁLVARO.                                    Baste.
> *(En el extremo de la desesperación.)*
> ¡Muerte y exterminio! ¡Muerte
> para los dos! Yo matarme
> sabré, en teniendo el consuelo
> de beber tu inicua sangre.
> *(Toma la espada, combaten y cae herido*
> DON ALFONSO.*)*

DON ALFONSO.—Ya lo conseguiste... ¡Dios mío! ¡Confesión! Soy cristiano... Perdonadme... salva mi alma...

DON ÁLVARO.—*(Suelta la espada y queda como petrificado.)* ¡Cielos!... ¡Dios mío!... ¡Santa Madre de los ángeles!... ¡Mis manos tintas en sangre... en sangre de Vargas!...

DON ALFONSO.—¡Confesión! ¡confesión!... Conozco mi crimen y me arrepiento... Salvad mi alma, vos que sois ministro del Señor...

DON ÁLVARO.—*(Aterrado.)* ¡No, yo no soy más que un réprobo, presa infeliz del demonio! Mis palabras sacrílegas aumentarían vuestra condenación. Estoy manchado de sangre, estoy irregular... [37] Pedid a Dios misericordia... Y... esperad... cerca vive un santo penitente... podrá absolveros... Pero está prohibido acercarse a su mansión... ¿Qué importa? yo que he roto todos los vínculos, que he hollado todas las obligaciones...

DON ALFONSO.—¡Ah! por caridad, por caridad...

DON ÁLVARO.—Sí; voy a llamarlo... al punto...

DON ALFONSO.—Apresuraos, padre... ¡Dios mío! (DON ÁLVARO *corre a la ermita y golpea la puerta.*)

DOÑA LEONOR.—*(Dentro.)* ¿Quién se atreve a llamar a esta puerta? Respetad este asilo.

---

[37] *irregular*, se refiere aquí a una irregularidad canónica que le impide el ejercicio del ministerio sagrado.

Don Álvaro.—Hermano, es necesario salvar un alma, socorrer a un moribundo: venid a darle el auxilio espiritual.

Doña Leonor.—*(Dentro.)* Imposible, no puedo, retiraos.

Don Álvaro.—Hermano, por el amor de Dios.

Doña Leonor.—*(Dentro.)* No, no, retiraos.

Don Álvaro.—Es indispensable, vamos. *(Golpea fuertemente la puerta.)*

Doña Leonor.—*(Dentro tocando la campanilla.)* ¡Socorro! ¡Socorro!

## ESCENA X

Los mismos y Doña Leonor, *vestida con un saco, y esparcidos los cabellos, pálida y desfigurada, aparece a la puerta de la gruta, y se oye repicar a lo lejos las campanas del convento*

Doña Leonor.—Huid, temerario; temed la ira del cielo.

Don Álvaro.—*(Retrocediendo horrorizado por la montaña abajo.)* ¡Una mujer!... ¡Cielos!... ¡Qué acento!... ¡Es un espectro!... Imagen adorada... ¡Leonor! ¡Leonor!

Don Alfonso.—*(Como queriéndose incorporar.)* ¡Leonor!... ¿Qué escucho? ¡Mi hermana!

Doña Leonor.—*(Corriendo detrás de* Don Álvaro.*)* ¡Dios mío! ¿Es don Álvaro?... Conozco su voz... El es... ¡Don Álvaro!

Don Alfonso.—¡Oh furia! Ella es... ¡Estaba aquí con su seductor!... ¡hipócritas!... ¡Leonor!!!

Doña Leonor.—¡Cielos!... ¡Otra voz conocida!... Mas ¿qué veo?... *(Se precipita hacia donde ve a* Don Alfonso.*)*

Don Alfonso.—¡Ves al último de tu infeliz familia!

Doña Leonor.—*(Precipitándose en los brazos de su hermano.)* ¡Hermano mío!... ¡Alfonso!

DON ALFONSO.—(*Hace un esfuerzo, saca un puñal, y hiere de muerte a* LEONOR.) Toma, causa de tantos desastres, recibe el premio de tu deshonra... Muero vengado. *(Muere.)*

DON ÁLVARO.—¡Desdichado!... ¿Qué hiciste?... ¡Leonor! ¿Eras tú?... ¿Tan cerca de mí estabas?... ¡Ay! *(Sin osar acercarse a los cadáveres.)* Aún respira... aún palpita aquel corazón todo mío... Angel de mi vida... vive, vive... yo te adoro... ¡Te hallé, por fin... sí, te hallé... muerta! *(Queda inmóvil.)*


## ESCENA ÚLTIMA

*Hay un rato de silencio; los truenos resuenan más fuertes que nunca, crecen los relámpagos, y se oye cantar a lo lejos el* Miserere *a la comunidad, que se acerca lentamente*


VOZ DENTRO.—Aquí, aquí; ¡qué horror! (DON ÁLVARO *vuelve en sí, y luego huye hacia la montaña. Sale el* PADRE GUARDIAN *con la comunidad, que queda asombrada.*)

PADRE GUARDIAN.—¡Dios mío? ¡Sangre derramada! ¡Cadáveres!... ¡La mujer penitente!

TODOS LOS FRAILES.—¡Una mujer!... ¡Cielos!

PADRE GUARDIAN.—¡Padre Rafael!

DON ÁLVARO.—(*Desde un risco, con sonrisa diabólica, todo convulso, dice):* Busca, imbécil, al padre Rafael... Yo soy un enviado del infierno, soy el demonio exterminador... Huid, miserables.

TODOS.—¡Jesús!

DON ÁLVARO.—¡Infierno, abre tu boca y trágame! ¡Húndase el cielo, perezca la raza humana; exterminio, destrucción!!... *(Sube a lo más alto del monte y se precipita.)*

EL PADRE GUARDIAN Y LOS FRAILES.—(*Aterrados y en actitudes diversas.)* ¡Misericordia, Señor! ¡Misericordia!

# EL DESENGAÑO EN UN SUEÑO

## DRAMA FANTÁSTICO EN CUATRO ACTOS

*A mi hijo Enrique.*

## PERSONAS

LISARDO, *joven.*
MARCOLAN, *viejo mágico.*

#### VOCES DE SERES INVISIBLES

DEL GENIO DE LOS AMORES.
DEL GENIO DE LA OPULENCIA.
DEL GENIO DEL PODER.
DEL GENIO DEL MAL.

#### PERSONAJES FANTÁSTICOS

ZORA, *dama joven.*
LISEO, *viejo.*
CLORINARDO. } *Caballeros.*
FINEO.
NATALIO, *viejo.*
ARBOLÁN, *guerrero.*

UN REY.
UNA REINA.
UN PAJE.
UNA BRUJA.
DOS CAZADORES.
TRES VILLANOS.
DOS SOLDADOS.
DOS CABALLEROS.
UN CAPITÁN.
UN ENTERRADOR.
EL DEMONIO.
UN ÁNGEL.
SALVAJES.
SÍLFIDES. } *Bailarines.*
DONCELLAS.
CANTORES.

Las músicas, comparsas y diferentes acompañamientos de cazadores, esclavos, guardias, etc., se anotan y llaman en las escenas en que deben figurar, para evitar confusión.

La acción, que se supone para los trajes acaecida a mediados del siglo XIV, pasa en un islote desierto del Mediterráneo. Empieza al ponerse el sol y concluye al amanecer del día siguiente

# ACTO PRIMERO

## ESCENA PRIMERA

*El teatro representa una montaña de peñascos, descubrién-*
*dose por un lado el mar embravecido. En primer término a*
*la derecha del espectador habrá una pequeña gruta practi-*
*cable. El cielo representará el anochecer, cubierto de nubes*
*borrascosas. Se verán relámpagos y se oirán truenos, el*
*bramido de las olas y el silbar del viento.* MARCOLÁN,
*mago, aparece dentro de la gruta, estudiando en sus libros*
*a la luz de una lámpara, y rodeado de instrumentos*
*mágicos.* LISARDO *vestido de pieles y con aspecto de sal-*
*vaje, asomará por lo alto de la montaña, y bajará de*
*peñasco en peñasco declamando los primeros versos*

LISARDO.    *(Mirando despechado al cielo.)*
            Rompe tu seno pardo,
            oscura nube, y lanza furibunda
            el rayo abrasador, que ansioso aguardo;
            el rayo que confunda
            y en el inmenso mar sepulte y hunda
            esta desierta roca,
            que con la altiva frente al cielo toca,
            y es, ¡oh destino impío!
            cárcel estrecha de mi ardiente brío.
                    *(Pausa, prosigue mirando al mar.)*
            Y tú, tremendo mar, ¿por qué, rugiente,

no rompes este freno de tus iras?
¿O eres tan impotente
que en vano a libertarte de él aspiras?
¡Ah, si yo fuera tú!... ¡Si yo tuviera
tu colosal poder!... Ni un solo instante
de mi curso delante
obstáculo ninguno consintiera:
y al encontrarlo, mi rencor profundo
con sus huellas borrara el ancho mundo.
¡Mas ah! no me escucháis. ¡O no son nada,
oscura nube, tu rugiente trueno,
ni tu empuje y furor, oh mar hinchada,
si otro poder mayor os pone freno!
                                        *(Pausa.)*

Como vosotros yo, que arde en mi mente
fuego mayor que el que en los rayos arde,
y un alma más tremenda,
más indomable que la mar rugiente,
dentro mi pecho siente
de sus fuerzas hacer perdido alarde.
Y aquí atado y cautivo,
aquí como cobarde,
apenas sé si vivo,
puesto que el mundo ignora
que en él Lisardo mora.
¡Lisardo, el que pudiera
llevar su nombre a la encendida esfera!
            *(Pausa, prosigue mirando a la gruta.)*
¡Oh padre!... padre no, tirano fiero,
que eres de un infelice carcelero,
maldito sea tu saber insano,
y ese tu afán prolijo,
que te hace ser de un desdichado hijo
inexorable y pertinaz tirano.

MARC.        *(Dentro de la gruta hablando consigo mismo.)*
¡Mísera humanidad! Siempre maldice
la mano protectora que la ampara,
y que del precipicio la separa.

¡Mísera humanidad, siempre infelice!
Es mi anhelo salvar a mi hijo amado
de las borrascas que en la humana vida
le tienen las estrellas prevenida,
y él su opresor me llama, despechado.
*(Se va poco a poco despejando el cielo, y alzán-
dose la luna en el horizonte, ilumina la escena
con su luz azulada.)*

LISARDO.   *(Avanzando al proscenio.)*
¿Es vida, ¡triste de mí!
es vida, ¡cielos! acaso
aquesta vida que paso
con sólo mi padre aquí?
Si condenado nací,
y sin esperanza alguna,
a que este islote mi cuna,
mi estado, mi único bien
y mi tumba, sea también,
maldigo yo a la fortuna.

Si tal mi destino fue,
que es imposible lo fuera,
¿para qué un alma tan fiera
dentro de mi pecho hallé?
¿Con qué objeto, para qué
arde esta insaciable llama,
que toda mi mente inflama,
de buscar, dándome anhelo,
aun a despecho del cielo,
oro, amor, poder y fama?

Enhorabuena el reptil
rampe [1] en el vivar [2] estrecho,
si allí goza satisfecho
toda su existencia vil;
pero el águila gentil,
de alas y valor provista,

---

[1]   *de ramper*, galicismo por 'arrastrarse'.
[2]   *vivar*, lugar donde viven ciertos animales.

en el sol clave la vista,
cruce las nubes voraz
y en ellas pregone audaz
del espacio la conquista.
    No reptil, águila soy,
águila y he de volar
sobre la tierra y el mar.
            *(Corre decidido hacia la montaña.)*

MARC.       *(En su gruta y hablando consigo mismo.)*
No volarás, que aquí estoy,
Lisardo, y a darte voy
pronto una grave lección
que calme en tu corazón
ese ciego desatino,
que te arrastra de contino
del mundo a la perdición.

LISARDO.    *(Desechado* [3] *y como detenido en medio de la
escena por un impulso superior.)*
¡Infelice!... Me olvidé
que a este escollo estoy atado,
donde del mundo ignorado
he nacido y moriré.
Si tal mi destino fue,
cúmplase pronto. Liberte
de esta cárcel, con mi muerte,
mi alma gigante yo mismo,
lanzándome en ese abismo
para burlar a la suerte.
*(Va a arrojarse al mar, y sale sobresaltado de
su gruta* MARCOLÁN *con una vara de oro en
la mano.)*

MARC.       Tente, Lisardo, hijo mío;
insensato, ¿dónde vas?
Tente, que aunque bastan sólo,
para tu intento atajar,
la fuerza de mis conjuros,

---

[3]   *desechado,* habiendo apartado de sí la idea.

                    pues no tiene otras mi edad;
                    quiero sólo con las voces
                    de mi cariño lograr
                    que desistas, hijo mío,
                    de tu designio fatal.
                    Torna, Lisardo, a mis brazos,
                    que para ti sólo hay paz
                    entre los brazos de un padre
                    que idolatrándote está.

LISARDO.   *(Que se detiene a la orilla del mar en cuanto
           oye a su padre, vuelve y se arroja a sus brazos
           muy abatido.)*
           ¡Oh padre!

MARC.                    Calma, hijo mío,
           la espantosa tempestad
           de tu corazón, más recia
           que la que un momento ha
           esas esferas turbaba
           y alborotaba ese mar.

LISARDO.   ¡Oh padre!

MARC.                    Mira, Lisardo,
           cuál la nube huyendo va,
           tornando el zafir del cielo
           con suave luz a brillar
           al reflejo de la luna,
           astro benigno de paz.
           Mira cuál bajan las olas,
           que, montañas de cristal,
           azotaban estas peñas
           a empuje del huracán.
           Huyan así de tu mente,
           para no volver jamás,
           esas oscuras ideas
           que hacen tu infelicidad.
           Y cálmese así tu pecho,
           que no deben agitar
           las fantásticas pasiones
           tras de que perdido vas.

¿Qué te inspira, di, Lisardo,
esa confusa ansiedad,
cosas que tú desconoces
anhelando sin cesar?

LISARDO.  Los impulsos de mi alma,
que a voces diciendo están
que he nacido para el mundo;
para en su centro lograr
amores, riqueza, fama,
poder, mando.

MARC.                     Basta ya.
Te comprendo. Mas, ¿qué sabes
tú de ese mundo ideal,
que existe en tu mente sólo?

LISARDO.  *(Recobrándose y creciendo en vehemencia.)*
¡Oh, padre mío, cesad!
que aunque estas ásperas peñas,
que ciñe en torno la mar,
mi cuna fueron, y son
mi cárcel siempre, y serán
tal vez, también, mi sepulcro,
no tan rudo soy, ni tan
salvaje, que no conozca
que en el mundo hay mucho más.
Esos tus libros lo dicen,
a quien tanto culto das,
y que te han dado esa ciencia
que profesas por mi mal.
Tus labios también lo han dicho,
complaciéndose en contar
de tu vida los portentos,
los recuerdos de tu edad.
Y aunque nunca de tus libros
devorara a tu pesar
las páginas, y aunque siempre
hubieras, cauto y sagaz,
puesto en tus labios un sello
que guardara la verdad;

> que hay mundo, y cómo es el mundo,
> por instinto natural
> adivinara. Sí, padre,
> baste de destierro ya.
> Llévame donde hombre sea
> y donde pueda lograr,
> como hombre, amores, riquezas,
> poder y dominio.

MARC.                              ¡Ah!

LISARDO.    Quiero mando, poderío,
> gloria, fama...

MARC.                         Bien, tendrás
> cuanto apeteces, Lisardo.
> Y a tu padre dejarás
> en este desierto, solo,
> decrépito... ¿Quieres más?

LISARDO.    *(Con ternura.)*
> Padre idolatrado, quiero
> vivir como racional,
> mas bajo tu amparo siempre.

MARC.       ¡Mi amparo!... insensato estás.
> ¡Mi amparo!... ¿De qué te sirve
> si entras con la tempestad
> de las humanas pasiones
> del mundo en el hondo mar?
> ¡Ay, que entonces mi cariño,
> mi ciencia, todo mi afán,
> de nada han de aprovecharte!

LISARDO.    *(Con entereza.)*
> ¿De nada?... Pues bien está.
> El aliento que me agita,
> el encendido volcán
> de valor y de denuedo
> que arde en mi pecho tenaz,
> me bastan, señor, y sobran;
> y suficientes quizás
> para serviros de apoyo
> a vos, oh padre, serán.

                                    *(Con resolución.)*

Salgamos de estos peñascos,
aquestos libros quemad.
Venid al mundo conmigo,
y vuestros ojos verán
que engendrasteis un portento
de altas empresas capaz.

MARC.      *(Aparte.)*
Vuelve a exaltarse su mente.
Ya la lección convendrá,
y que empiece a realizarse
mi bien combinado plan.
*(Alto.)* Hijo, Lisardo, sosiega
tu ardiente pecho. Serás
complacido por tu padre.
Lograráse tu ansiedad.
Pero de la noche el manto
cubre el firmamento ya.
Calma en sosegado sueño,
calma, hijo mío, tu afán.

LISARDO.  *(Como soñoliento.)*
De lo que hoy he padecido
estoy, señor, en verdad
tan fatigado... que empiezo
dulce descanso a anhelar...
Reposaré.

MARC.      *(Llevándole lentamente al fondo del teatro a la
izquierda del espectador, donde habrá en
tierra un lecho de ramas secas.)*
                Sí, hijo mío.
                             *(Aparte.)*
Ya empieza el conjuro a obrar.
Le tocaré con la vara
y al sueño se rendirá.
                 *(Le toca, y prosigue alto.)*
Sí, hijo mío, sí, descansa,
pues convidándote está
de secas algas el lecho,

            que aquí orillas de la mar
            halagan las blandas brisas
            que en torno volando están.

LISARDO.   *(Acostándose en el lecho.)*
            Sí, padre mío... Sí, padre...
            El sueño ganando va
            mis sentidos... halagado
            por la esperanza que has
            dado a mi pecho... Esta noche
            soñaré felicidad.       *(Queda dormido.)*

MARC.     *(Contemplándole con cariño.)*
            ¡Hijo del alma!... ¡Hijo mío!...
            En sueño profundo está.
            Ahora desengaños sueñe
            que pongan fin a su afán.
            *(En medio de la escena en actitud imponente y*
            *solemne.)*

               Espíritus celestes e infernales,
            genios del bien y el mal, que los destinos
            por ocultos caminos
            dirigís de los míseros mortales.

               Al gran poder de mi saber profundo
            obedientes venid, que ya os aguardo,
            y al dormido Lisardo
            mostrad en sueños cuanto encierra el
            En vagas vaporosas ilusiones,    [mundo.
            y en fantásticas formas, vea su mente
            cuanto anhela imprudente,
            y ancho campo ofreced a sus pasiones.
                       *(Gira la vara en derredor.)*

               Ya os miro en torno revolar, ya os veo,
            o desde el centro de la tierra oscuro,
            o desde el aire puro,
            obedientes venir a mi deseo.
            *(Se oye una música suave y armoniosa, y una*
            *voz dulce dice desde las bambalinas.)*

VOZ DEL GENIO DE LOS AMORES

Yo, numen de los amores,
le coronaré de flores
y, atándolo en tiernos lazos,
colocaré entre sus brazos
la más insigne beldad.

Y encantado con su acento,
y embriagado con su aliento,
apurará en las delicias
de sus amantes caricias
la humana felicidad.

*(Suena a la izquierda del teatro una música
llena y alegre, y en seguida dice una voz so-
nora:)*

VOZ DEL GENIO DE LA OPULENCIA

Yo dispongo del oro y riqueza,
y a tu mágico impulso obediente,
a sus ojos dormidos, patente
cuanto alcanza mi imperio pondré.

Y la pompa oriental y grandeza
gozará venturoso en el sueño,
y de inmensos tesoros el dueño,
mientras dure el encanto, le haré.

Aroma y bálsamos
respirará.
Sedas y púrpuras
se vestirá.
Ricos alcázares
habitará.
Y en la demencia
de la opulencia
se perderá.

*(Suena a la derecha una banda de música
militar tocando una marcha guerrera, y dice
una voz robusta:)*

VOZ DEL GENIO DEL PODER

Yo, que de la ambición y de la gloria
el genio soy audaz,
su pecho tornaré, con mi alta llama,
en hoguera voraz.
El lauro ceñirá de la victoria
su envanecida sien,
y su nombre en los cantos de la fama
escuchará también.
    Y un pueblo rendido
    a sus pies verá,
    y desvanecido
    lo dominará.
*(Se oyen truenos subterráneos mezclados con
música sorda y lúgubre bajo el tablado, y luego
dice desde allí una voz áspera y satánica:)*


VOZ DEL GENIO DEL MAL

Yo marchitaré
las lozanas flores.
Yo envenenaré
los dulces amores.
    Y en horrores
sus delicias tornaré.
    La riqueza
    y grandeza
    afán
    serán
    de su pecho,
por la avaricia y el terror deshecho.
Y la indomable ambición
    su corazón
al crimen arrastrará,
y en hondo precipicio lo hundirá.

MARC.    *(Extendiendo la vara a un lado y otro.)*
Comenzad, genios que me estáis hablando,

el orden proseguid de mis conjuros,
dentro la mente del dormido dando
formas visibles a los aires puros.

*(Entra en su gruta: se sienta, coloca a sus pies*
*un reloj de arena, y prosigue leyendo en la*
*mayor abstracción, permaneciendo así hasta el*
*fin del drama.)*

## ESCENA II

*Cruzan el teatro en todas direcciones ligeras gasas traspa-*
*rentes con figuras vagas y fantásticas, alusivas al amor, al*
*poder, a la ambición y al crimen, y se van reuniendo al*
*fondo del teatro, y delante del lecho de* LISARDO, *formando*
*como una niebla blanquecina que lo cubra todo. Por un*
*escotillón sale* ZORA *cubierta con una gasa blanca que le*
*dé la apariencia de una sombra. La música toca una*
*armonía lánguida y suave, que va concluyendo poco a poco*
*en notas aisladas, y que van siendo imperceptibles. Se*
*disipa luego repentinamente la niebla, y aparece un risueño*
*y rústico jardín, iluminado por la luz de la aurora. El lecho*
*de* LISARDO *alzado un poco del suelo y formado con flores,*
*y cubierto por un pabellón de colores enlazado en las ramas*
*de los árboles. Y en él estará dormido* LISARDO, *cuyo ves-*
*tido de pieles se habrá mudado en uno rico de cazador.*
*Aparecerá también un asiento rústico en medio del teatro, y*
*caerá el velo que cubre a* ZORA, *quedando ésta vestida con*
*una túnica blanca y coronada de rosas. La gruta de*
MARCOLÁN, *y éste dentro estudiando, habrá estado*
*siempre descubierta, y permanecerá así inmutable durante*
*todo el drama, por más cambios de decoraciones que se*
*verifiquen*

LISARDO.    *(Incorporándose como admirado, y mirando a*
                  *todos lados.)*
                       ¡Cielos!... En el mundo estoy.
                  Mi padre no me engañó.
                  Del islote me sacó.

Hombre cual los hombres soy.
No hay duda... ¡felice yo!
*(Se levanta y corre de una parte a otra, pero*
*sin reparar en* ZORA, *que estará a un lado*
*cogiendo flores.)*

   ¡Oh! ¡qué risueño jardín!
Y no lo circunda el mar.
Desde aquí podré volar
por uno y otro confín...
¿Quién me lo puede estorbar?...
   ¡Cuán gozoso y satisfecho
miro el matutino albor!
Una y otra linda flor,
¡qué aromas dan a mi pecho!
¡Oh qué vida!... ¡Qué calor!
   Aquí no escucho el bramido
de las olas, que decía
pavoroso noche y día:
*¡Pobre Lisardo, nacido*
*bajo estrella tan impía!*
   No, que el risueño murmullo
de auras, hojas, aves, fuentes,
dan acentos diferentes,
que son dulcísimo arrullo
de mis venturas presentes.
   Mas, ¿qué me detengo aquí?
Por linda que esta mansión
halague mi corazón,
aun estrecha es para mí.
Volemos a otra región.
      *(Repara en* ZORA, *y queda sorprendido.)*
   ¿Qué es... ¡oh Dios!... lo que allí veo?
Solo en el jardín no estoy...
¡Ah! que realizando voy
cuanto anheló mi deseo,
y todo ventura es hoy.
   ¡Una mujer!!!... Sí, y aquella
que en sombra leve y fugaz,

turbando mi eterna paz,
vio siempre gallarda y bella
mi delirio pertinaz.

Sí, la misma que mis ojos
en ilusión vieron vana,
ya en los perfiles de grana,
que ornan los celajes rojos
de la encendida mañana;

Ya entre las orlas de espuma
del adormecido mar,
sobre las playas triscar,
leve como leve pluma,
y mi pecho arrebatar.

Y pues la suerte dichosa,
que hoy dirige mi destino,
portento tan peregrino,
de mis afanes tal diosa,
me presenta en mi camino;

Corro a exhalar a sus pies,
completando mi ventura,
el alma, que en llama pura
volcán encendido es
desde que vi su hermosura.

                    *(Se acerca con timidez a* ZORA.*)*
        Ángel celestial...
ZORA.      *(Con sencillez y naturalidad.)*
                              Lisardo.
LISARDO.   *(Aparte sorprendido.)*
           ¿Sabe, cielos, quién soy yo?...
           Sin duda, pues me nombró...
ZORA.      Hace tiempo que os guardo.
LISARDO.   *(Dudoso.)*
           ¿Vos... me conocéis?...
ZORA.                          ¿Pues no?
LISARDO.   *(Con vehemencia.)*
           Y yo os conozco también,
           y ando tras de vos perdido;
           y que tan sólo he nacido

para estar, pienso, ¡oh, mi bien!
a vuestro encanto rendido.

ZORA.    ¿Pero mi nombre ignoráis?...

LISARDO.    ¡Ah!... Sólo sé que os adoro;
todo lo demás lo ignoro.

ZORA.    ¿Y de mí qué deseáis?

LISARDO.    *(Arrebatado.)*
Amor... vuestro amor imploro.

ZORA.    ¿Amor?... ¿Qué decís, Lisardo?...
¿Olvidáis que Zora soy?...
¡Ah!... jamás os vi cual hoy.
De veros tal me acobardo
y temblando toda estoy.

LISARDO.    Mi encanto, mi único bien,
mi tesoro, mi alegría...
¡Oh lumbre del alma mía!
no miedo, lástima ten
de mi amorosa agonía...
Para ti sólo respiro,
y sin ti quiero la muerte.
¿Qué es vivir sin poseerte?

ZORA.    *(Turbada y vergonzosa.)*
¡Lisardo!... Yo me retiro.

LISARDO.    ¿Puede mi amor ofenderte?...
¿Te ofende?... No seas cruel,
oye mi llanto, mi ruego.

ZORA.    Crece mi desasosiego...
retírome del verjel...

LISARDO.    *(Deteniéndola.)*
¿Sin responder a mi fuego?...
¡Ah!... Esperad, oh bella Zora,
más bella que la mañana.
¡Ay!... Esa encendida grana
que vuestro rostro avalora,
¡cuánto, cuánto os engalana!
                    *(Hincando una rodilla.)*
¡Piedad de mí! No, no quiero
la vida sin vuestro amor.

Si dura tanto rigor,
si tenéis pecho de acero,
me moriré de dolor.

ZORA.        *(Conmovida.)*
             ¡Lisardo!... ¡Lisardo!... ¡Ay Dios!
             No penséis que el pecho mío...

LISARDO.     ¡Cuánto a mi pasión da brío
             la inquietud que advierto en vos!

ZORA.        Y yo... basta... ¡oh desvarío!...

LISARDO.     *(Tomándole una mano y besándosela con ansiedad.)*
             No basta... no... que un volcán
             es mi pecho. El corazón
             arde, y crece una pasión
             en mí tan gigante, tan
             de indómita condición,
                 Que... ¡Zora!... ¡Zora!... piedad.
                                        *(Abatido.)*
             No sé lo que pasa en mí.
             Nunca en mi alma conocí
             tan quemadora ansiedad...
                                *(Con vehemencia.)*
             Amame, o me muero aquí.

ZORA.        *(Con acento enternecido.)*
                 ¡Mi Lisardo!

LISARDO.     *(Enajenado.)*
                             ¡Oh deliciosa
             voz, cual no escuché jamás,
             y que embriagándome estás
             el alma!...

ZORA.        *(Tímida.)*
                         Seré tu esposa...
             ¿Puedes, di, pretender más?

LISARDO.     *(Con ansiedad.)*
             Sí, mi esposa... y ¿me amas? dime.

ZORA.        *(Con ternura.)*
             Te amo... sí.

LISARDO.   *(Levantándose fuera de sí.)*
                    No puede ser
           que a un hombre mate el placer,
           si aún vivo. ¡Oh dicha sublime!
           ¡Cielos, me ama una mujer!!!
                                    *(Abraza a* ZORA.*)*
ZORA.      Pero no basta, Lisardo,
           que cual me dices me adores,
           ni que corresponda amante
           mi pecho a tus intenciones;
           pues para ser yo tu esposa,
           y darte de esposo el nombre,
           es preciso que mi padre,
           que habita un albergue pobre
           en lo más repuesto y solo
           de estos intrincados bosques,
           me conceda su permiso,
           bendiga nuestros amores,
           y que en sus manos me jures
           ante Dios y ante los hombres
           la fe del estrecho lazo
           que sólo la muerte rompe.
LISARDO.   *(Impaciente.)*
           Obstáculos a mi anhelo...
           ¿Quién indiscreto los pone?...
ZORA.      *(Asustada.)*
           ¡Lisardo!...
LISARDO.   *(Confuso.)*
                    No... Zora mía.
           A tu voluntad conforme,
           corro a buscar a tu padre
           para que grato corone
           esta dicha, que en la esfera
           del sol radiante me pone.
                    'amos, pues... Mas si insensato
           se opusiese...
ZORA.      *(Consternada.)*
                    ¡Oh Dios!... ¿Entonces?...

LISARDO.    *(Resuelto.)*
            Amándome tú, en el mundo
            no habrá quién mi dicha estorbe.

            *(Van a marchar y sale* LISEO, *viejo, con túnica*
            *negra, barba blanca, y apoyado en un báculo, y*
            *los detiene.)*

LISEO.      Ten el paso, que a tu encuentro
            salgo para que la logres.
            Padre amoroso de Zora
            seguíla a este sitio, donde
            he escuchado tus palabras,
            escondido entre esas flores.

            Y la llama conociendo
            que arde en vuestros corazones,
            y que en ti, feliz, encuentra
            mi adorada prenda el hombre
            más capaz por su cariño
            y más digno por sus dotes
            de asegurar su ventura,
            de merecer sus favores,
            por esposa te la otorgo
            ante Dios y ante los hombres.

            Y bendeciré este enlace,
            que hasta la muerte te impone
            el compromiso sagrado
            de ser su amparo, su norte,
            su firme amante, y su dicha;
            si a jurarme te dispones
            el cumplir eternamente
            tan santas obligaciones.

LISARDO.    *(Con decisión.)*
            Yo lo juro por los cielos,
            anciano, y airados sobre
            mi frente su ira tremenda
            y su maldición desplomen,
            si quebranto el juramento
            que ahora de mis labios oyes.

LISEO.    *(Abrazándolo.)*
         Pues ahora ven a mis brazos
         para que ellos te coloquen
         en los de tu amante esposa,
         que tu tierno amor coronen.
         *(Entrega* ZORA *a* LISARDO *y se abrazan estre-*
         *chamente.)*
LISARDO.  *(Con agitada vehemencia.)*
         Celeste luz de mi dichosa vida,
         astro de amor y de delicias lleno,
         ven, y descansa en mi agitado seno,
         que ardiente apenas puede respirar.
         Ven, que al tenerte en mis convulsos
                                      [brazos,
         al alentar tu embalsamado aliento,
         una existencia tan divina siento
         por mis estrechas venas circular,
         Que juzgo que en el cielo es imposible
         más venturoso ser. Ven, oh alma mía;
         miro en tu rostro un sempiterno día,
         en tus ojos un sol eterno arder.
         Todo el confuso afán de mis delirios,
         todas las ilusiones de mi mente,
         hoy se realizan, al besar tu frente:
         desfallezco de gozo y de placer.
         *(Cae sentado con* ZORA *en el asiento rústico*
         *que estará en medio de la escena, y* LISEO *se*
         *coloca detrás extendiendo los brazos sobre*
         *ambos.)*

*El asiento se eleva del suelo y se convierte en un trono for-*
*mado de flores, de mariposas, de palomas y de tórtolas, y*
*rodeado de cisnes, delfines y conchas, y sale por un lado y*
*otro una tropa de salvajes y de sílfidos* [4] *que bailan en*
*derredor, formando lazos con guirnaldas y bandas de*
*colores, y ofreciendo a* LISARDO *y a* ZORA *ramilletes y*

---

[4]    *Sílfidos,* 'silfos', seres fantásticos, espíritus del aire.

*canastillos de flores. Concluida la danza se retiran y con ellos* LISEO. *Y desaparece todo, quedando el asiento rústico como estaba en el principio, y en él* LISARDO *y* ZORA *como embelesados. Y tras de breve pausa se oirá debajo del tablado la*

VOZ DEL GENIO DEL MAL

Lisardo, en el mundo hay más.
El tiempo perdiendo estás.
¿Qué es belleza
sin riqueza?...
Busca riqueza, riqueza tendrás.
Lisardo, en el mundo hay más.
(LISARDO *se pone de repente inquieto y pensativo.*)

ZORA.     ¿Qué, Lisardo, te suspende?...
Yo no sé qué advierto en ti.
¿No eres venturoso?... di...
Algo tu anhelo pretende.

LISARDO.     ¡Ay Zora! sí. Aunque tu amor
es el aura que respiro,
y aunque dichoso me miro
de tu encanto poseedor,
     A las dichas de mi pecho
y a tu divina hermosura,
esta soledad oscura
me parece campo estrecho.

ZORA.     *(Con ansiedad y ternura.)*
¿Aquí contento no estás?...

LISARDO.     *(Con vehemencia.)*
A tu lado, hermosa mía.
toda mi alma es alegría.

*Suena bajo el tablado la*

VOZ DEL GENIO DEL MAL

Pero hay en el mundo más.

ZORA.      ¿No te encantan estas flores
por las auras regaladas,
que risueñas y esmaltadas
dan balsámicos olores?

      ¿No esta pomposa techumbre
de verdes hojas y ramos,
bajo de la cual gozamos
del sol, templada, la lumbre?

      ¿No de este prado las galas?
¿No el murmullo de estas fuentes?
¿No esas nubes trasparentes,
que el viento lleva en sus alas?

      ¿No la quietud en que estás?
¿Esta calma?... ¿Esta alegría?

LISARDO.  *(Que habrá estado muy pensativo mientras ha
hablado* ZORA, *se vuelve a ella y la abraza con
entusiasmo.)*
Sí, me encantan, Zora mía...
Pero hay en el mundo más.
      *(Levantándose y creciendo su agitación.)*

      Hay más. Sí. Lo anhelo todo
para ti sólo, mi amor;
pues fuera duro rigor
vivir siempre de este modo.

      Cubran cimbrias esmaltadas,
bronce y mármol tu beldad;
no en oscura soledad
las silvestres enramadas.

      Dente sus suaves olores,
embalsamando el ambiente,
quemadas gomas de Oriente,
mejor que rústicas flores.

      Los sonoros instrumentos
den a tu descanso arrullo;

no de un arroyo el murmullo,
ni de una ave los acentos.
    Ornen tu frente gentil
oro perlas y diamantes;
que esas flores rozagantes,
parécenme adorno vil.
    El orbe admirado vea
nuestro fuego sin segundo,
templo magnífico el mundo
de tu alta hermosura sea.
    Pompa, riquezas deseo.
¿Qué es sin ellas la beldad?...
¡Abrasado en la ansiedad
de la opulencia me veo!
    (*Cayendo en repentino abatimiento y paseán-
dose sin hacer caso de* ZORA.)
    Mas ¿cómo lograrlo yo?...
¿Hay más grande desventura?

ZORA.        (*Que lo ha escuchado al principio asombrada,
y que le sigue después inquieta.*)
¿Mi cariño, mi ternura
no te bastan?...

LISARDO.    (*Con despego.*)
                    Zora, no.
                        (*Volviendo en sí y abrazándola.*)
    Con toda el alma te adoro;
pero hay en el mundo más.

ZORA.        (*Afligida.*)
¿Te importuna ya quizás?...

LISARDO.    (*Fuera de sí.*)
Ansío la pompa y el oro.
    El brillo de las riquezas
es quien da brillo a los nombres...

                        (*Creciendo su inquietud.*)
¿Cómo consiguen los hombres
los tesoros y grandezas?
    Si no los logran mis brazos,
ni los alcanza mi aliento,

ZORA.

LISARDO.

            el frenesí que en mí siento
            me hará el corazón pedazos.
ZORA.       *(Poniéndosele delante muy afligida.)*
                ¡Lisardo!...
LISARDO.    *(Recibiéndola en sus brazos.)*
                        Ven, Zora mía,
            ven, que te idolatro, sí.
            Pero vivir siempre aquí,
            vivir en cárcel sería.
                Si no logro mis anhelos,
            y si es en la soledad
            oscura felicidad
            la que me otorgan los cielos;
                Como te tenga a mi lado,
            no me importará volver
            al peñasco donde ayer
            era tan desventurado.
                O al fin burlando el rigor
            de tan oscuro existir,
            entre tus brazos morir...
            ¡esto fuera lo mejor!
                *(Se reclina abatido en el hombro de* ZORA.)

*Se abren y apartan los árboles del fondo y dejan ver a lo
lejos un magnífico palacio, se oyen un cuerno de caza, cara-
coles y ladridos. Se reanima* LISARDO *mirando sorprendido a todas partes, y salen* CLORINARDO *y* FINEO,
*ricamente vestidos de cazadores, y con ellos cuatro caba-
lleros lo mismo, y una tropa de monteros y villanos, unos
con perros de caza, otros con azores*

CLORIN.     Ya en el cenit sentado,
            la viva lumbre de su eterna llama
            por los campos derrama
            con tanta furia el sol, que bosque y prado
            mustias miran sus ramas y sus flores.
            Y ahogados de calor los cazadores,

y de sed abatidos los lebreles,
no encuentran ya más fieras
que herir gallardos, o acosar crueles,
por estos campos, montes y riberas.
Ni mira el gerifalte
ave pintada, que veloz esmalte
las leves nubes que ornan el espacio.
Si os parece, Lisardo generoso,
vamos a tu magnífico palacio
a disfrutar de plácido reposo:
que no ha sido perdida la mañana,
pues caza habemos hecho
que debe de dejarte satisfecho,
y de ella nuestra gente estar ufana.

FINEO.      Es, amigo Lisardo,
tan rica y abundante,
que excede a lo que pinta Clorinardo.
            *(Señalando al lado por donde salieron.)*
Ahí la tienes delante.
A examinarla ven, pues imagino
que quedará saciado tu deseo,
rindiendo por trofeo
al encanto divino
de tu adorada esposa,
que es de tu pecho y de estos valles diosa,
tanta fiera postrada,
ya por nuestros venablos humillada,
ya por los fieles perros
que atruenan con ladridos estos cerros.
Tanta garza real y aves tan raras,
a que cortara el vuelo
o la acerada punta de las jaras,
o el neblí volador allí en el cielo.
Ni un solo tiro ha errado Clorinardo.
Ven a verlo por ti, noble Lisardo.

CLORIN.     Di mejor que la caza de este día
se debe a tu destreza y valentía,
generoso Fineo.

LISARDO.    *(Acercándose con* ZORA *al bastidor y manifes-*
            *tando gozosa admiración.)*
            ¡Ah!... Sí, amigos, ya veo,
            con admirados ojos,
            rendidos a mis pies tantos despojos.
            ¡Qué feroces y rudos jabalíes!
            ¡Qué cervales rodados! [5]
            ¡Cuántos ligeros corzos y venados!
            Muy bien han trabajado los neblíes,
            según la inmensa suma
            de aves gallardas de brillante pluma,
            que llenan de placer la vista mía.
            ¡Ay, mi Zora adorada!
            ¿No estás de este espectáculo encantada?
ZORA.       *(Con sencillez.)*
            A mí sólo me encanta tu alegría.
LISARDO.    *(Con ternura.)*
            Y a mí tu amor.                    *(Impaciente.)*
                      Pero al palacio vamos,
            y ni un momento más nos detengamos.
            *(Vanse* CLORINARDO, FINEO, *los cazadores y*
            *villanos, y al ir a salir* LISARDO *y* ZORA
            *cambia la decoración.)*


                        ESCENA III


*Magnífico salón adornado fantásticamente de mármoles,*
*bronces y ricos cortinajes.* LISARDO *y* ZORA, *que iban a*
*salir, retroceden admirados al medio de la escena*


LISARDO.    *(Sorprendido.)*
            ¡Cielos!... ¡Cielos!... ¿deliro?
            ¡A mi afán sobrepuja cuanto miro!

---

[5]    *cervales rodados,* 'ciervos abundantes'.

*Salen por un lado cuatro pajes ricamente vestidos, y en aza-*
*fates de plata traen magníficas ropas para* LISARDO. *Al*
*mismo tiempo, por el lado opuesto salen cuatro damas, con*
*iguales azafates, con vestidos y joyas para* ZORA. *A cada*
*lado se alzan del suelo dos caprichosos tocadores con*
*espejos de metal, y delante de uno visten los pajes a*
LISARDO, *y las damas a* ZORA *delante del otro; retirán-*
*dose unos y otros respetuosamente por el mismo sitio por*
*donde salieron, y desaparecen los tocadores.* ZORA *queda*
*como indiferente a todo en el puesto en que la vistieron. Y*
LISARDO, *después de examinarse a sí mismo, con gran*
*complacencia, vuelve los ojos a* ZORA *y corre a abrazarla*
*transportado de alegría*

LISARDO.      ¡Qué hermosa estás así!
              ¡Qué bien adornan tu lozana frente
              el oro y el rubí
              con la cándida perla del Oriente!
              ¡Oh, cuán gallarda estás
              de seda con la ropa rozagante!
              ¡Y cuánto luce más
              la nieve de tu seno palpitante!

                                          *(La abraza.)*

              Abrázame, mi amor.
              Nada iguala las dichas que hoy poseo.
              Mi ventura es mayor
              que cuanto ambicionaba mi deseo.
ZORA.         *(Con tierna sencillez.)*
              Yo como en el vergel
              soy en este palacio venturosa,
              pues aquí como en él
              logro llamarme tu querida esposa.
LISARDO.      *(Después de abrazarla cariñosamente, y reco-*
              *nociendo dudoso el salón.)*
              ¿Dónde, Zora, estarán
              los tesoros inmensos y riqueza,
              que fundamento dan
              a tanta pompa y sinigual grandeza?...

*Salen* NATALIO, *viejo, ricamente vestido, con una pértiga
de plata en la mano, y detrás de él, de dos en dos y en buen
orden, armenios, persas, indostaneses, árabes, chinos,
etíopes, moscovitas, dálmatas y otras figuras fantásticas,
que en cofres de oro, en sacos de púrpura, en caprichosas
angarillas y palanquines, en grandes bateas, en primorosos
pebeteros, y en las manos y en los hombros, traen las diferentes riquezas que se enumeran en la relación siguiente. Al
mismo tiempo salen y se alzan del tablado, en el fondo, ele-
gantes aparadores, donde se vayan colocando con vistoso
orden y aparato todos aquellos objetos*

NATALIO.  (*Saludando con gravedad y respeto a* LISARDO
          *y* ZORA.)
          Esclarecido Lisardo,
          señor a quien reverencian
          por su dueño estos contornos,
          por su amparo estas aldeas.
          Yo, intendente de tu casa
          y colector de tus rentas,
          te presento el rendimiento,
          que ofrecen lejanas tierras
          a tus plantas en tributo,
          pábulo de tu opulencia.
          (*Van pasando las comparsas presentando lo
          que traen y haciendo profunda reverencia.*)
          El monte Ofir [6] granos de oro,
          el mar de Oriente sus perlas,
          sus pedrerías Golconda, [7]
          sus ricos tejidos Persia,
          sus perfumes el Arabia,
          China matizada seda,
          Libia sus rizadas plumas,
          vistosas pieles Siberia,

---

[6]  *Ofir*, monte de la isla de Sumatra.
[7]  *Golconda*, antigua ciudad de la India, famosa por sus legendarias
riquezas.

marfil Orisa [8], Sidonia [9]
púrpura, cristal Venecia,
y cuanto el arte produce,
modifica y hermosea.
Todo esto, señor, es tuyo;
feliz disfrútalo, y sean
eternidades los años
que goces tantas riquezas,
en los brazos de tu esposa,
y en la quietud de esta tierra.

*Después que los comparsas dejan acomodado todo en los
aparadores, se forman en ala en el fondo de la escena, y
NATALIO, haciendo una profunda reverencia a LISARDO,
les hace señal con la pértiga de plata, y vanse de dos en dos
detrás de él. LISARDO recorre atónito los aparadores,
como embriagado de tanta riqueza, y se dirige después a
ZORA, que habrá conservado su sencilla indiferencia*

LISARDO.        Bella Zora, mi bien, ¡qué alta ventura
                es para mí ofrecer hoy a tus plantas
                la inmensa suma de riquezas tantas,
                como debido obsequio a tu hermosura!
                    Con tal tesoro y con tan linda esposa,
                ¿qué más puede anhelar el ansia mía?
                Mas allá no es posible en la alegría
                que en mi saciado corazón rebosa.
                    ¿No estás contenta?... di.
ZORA.                                          Siempre a tu
                                                  [lado,
                si me quieres, Lisardo, estoy contenta.
                Es mi dicha tu amor, ora opulenta,
                ora indigente: como plazca al hado...

---

[8]   *Orisa,* región de la India.
[9]   *Sidonia,* la antigua Sidón de los fenicios, situada en el actual
Líbano.

LISARDO.   (*Abrazando a* ZORA.)
    Me enajena el placer, Zora querida.
Más dicha apetecer fuera demencia,
que en tus brazos gozar y en la opulencia
el breve curso de la humana vida.
    ¡Ah! venga a contemplar tanta ventura
el mundo todo, y su deidad te aclame.
Venga; y el hombre más feliz me llame
por dueño de tu amor y tu hermosura.
(*Salen* FINEO *y* CLORINARDO *con cuatro
caballeros de los que salieron de cazadores, y
todos vestidos de gala.*)

FINEO.   (*Muy rendido.*)
    Ya que estaréis descansados,
¡oh Lisardo, oh linda Zora!
a obsequiaros y a serviros
nuestra amistad fina torna.

CLORIN.     Y a contemplar, si permites,
estas riquezas, que adornan
tu magnífico palacio,
y tu ventura coronan.
(*Se acerca a los aparadores con los cuatro caballeros.*)

LISARDO.   (*Obsequioso.*)
    Seáis entrambos bien venidos
a ver cuánto es venturosa
mi suerte, y cómo los cielos
hoy de sus dones me colman.

FINEO.   (*Acercándose muy rendido a* ZORA.)
    ¡Oh qué bella resplandece
vuestra noble faz, señora,
sol que ilumina las almas
de cuantos miraros gozan!

ZORA.   (*Con sencilla indiferencia.*)
    Siempre galante, Fineo,
sois en palabras y en obras.

LISARDO.   Pero hoy la verdad te dice;
que eres un prodigio, Zora.

CLORIN.    *(Repasando con ávidos ojos las riquezas.)*
              Ved, amigos, qué portento
           de tesoros se amontona
           en estos aparadores.
           ¡Dichoso quien tanto logra!

CLORINARDO *y los caballeros hablando entre sí, lo mismo
que* FINEO *y* ZORA: *aquél con vehemencia, y ésta sosegada.
Y* LISARDO, *que se había mostrado muy complacido,
queda trastornado oyendo sonar bajo el tablado como
siempre la*

                    VOZ DEL GENIO DEL MAL

                       Es acechada
                    la belleza.
                    Es codiciada
                    la riqueza.

FINEO.     De cuantos ricos tesoros,
           de cuantas soberbias joyas
           en su espacioso recinto
           este alcázar atesora,
           es el más resplandeciente,
           es la más encantadora,
           el de la belleza suma
           de vuestras divinas formas,
           el de la expresiva gracia
           de vuestras acciones todas.
           Y venturoso Lisardo...

ZORA.      Cesen ya vuestras lisonjas.
           Con tener ese tesoro,
           con poseer tan rica joya,
           a los ojos de Lisardo
           me tengo por venturosa.
                          *(Siguen hablando entre sí.)*

CLORIN.    *(Siempre recorriendo los aparadores.)*
           ¡Oh qué envidiable opulencia!
           El alma me tiene absorta.
                          *(Sigue hablando con los suyos.)*

LISARDO.  *(Desde que oyó la voz corre desatentado, ya a*
          *escuchar lo que hablan* FINEO *y* ZORA, *ya a*
          *espiar a* CLORINARDO *y a los cuatro caba-*
          *lleros, y convulso y despechado se para a un*
          *lado y dice aparte.)*
          ¡Ah!... ¡Clorinardo!... ¡Fineo!
          con su presencia me ahogan,
          de uno las dulces palabras,
          de otro las miradas torvas;
          toda el alma me envenenan,
          todo el pecho me destrozan.
          Codician, sí, mis venturas...
          Las acechan... Me las roban...
          El corazón me atormenta
          tal temor, y tal zozobra
          siento en mí, tales recelos,
          tales ideas se agolpan
          en mi acalorada frente,
          que en una sima espantosa
          de tormentos insufribles
          y de infernales congojas
          me confundo. ¡Cielos!... ¡cielos!
          ¿Qué dice Fineo a Zora?...
          Clorinardo, ¿qué proyectos
          dentro de su mente forja?

                                   *(Resuelto.)*

          ¡Ah! devórelos la llama
          que mi airado pecho brota.
          No tengo espada, no tengo
          espada... ¡No!... Mas ¿qué importa?
          tengo brazos, y con ellos
          y con mi esfuerzo me sobra
          para hacer cien mil pedazos
          al que intente...

                              *(Conteniéndose.)*

                        ¿Do me arroja
          mi furor?... ¡Ah! reprimirme
          tal vez me conviene ahora,

que cuando hay que perder mucho
la decisión no es tan pronta.
                    *(Alto y con voz templada.)*
Oh Clorinardo, oh Fineo,
escuchadme, amigos, hola.

CLORIN.    *(Acercándose muy solícito.)*
           ¿En qué podemos servirte?
FINEO.     *(Acercándose.)*
           Dispón de nuestras personas.
LISARDO.   *(Turbado.)*
           Aún más descanso quisiera,
           que está fatigada Zora.

FINEO.     Al punto nos retiramos;
           nuestra imprudencia perdona.
CLORIN.    Tornaremos cuando gustes,
           porque nos anima sola
           el ansia de complacerte.

FINEO.     *(Mirando a* ZORA.*)*
           ¡Oh qué mujer tan hermosa!         *(Vase.)*
CLORIN.    *(Mirando a los aparadores.)*
           ¡Oh qué envidiable riqueza!
                    *(Vase con los cuatro caballeros.)*
LISARDO.   La rabia mi pecho ahoga.
           *(Queda sumergido en honda y sombría medita-
           ción, y* ZORA, *después de observarle con afán,
           corre a él con la mayor ternura.)*
ZORA.          Mi Lisardo, mi esposo,
           mi único bien... ¿qué tienes?
           ¿A abrazarme no vienes?...
           ¿Se ha entibiado tu amor?
               Turbado, cuidadoso,
           desque riquezas tantas
           contemplas a tus plantas,
           te miro con dolor.
LISARDO.   *(Agitadísimo.)*
               Aparta, que tu voz de una manera
           vibra en mi corazón,

|          |                                       |
|----------|---------------------------------------|
|          | que no puedo explicar aunque quisiera, |
|          | y me llena de furia y confusión.      |
| ZORA.    | *(Afligida.)*                          |

    Lisardo, consternada
¡oh mísera infelice!
lo que tu labio dice
me ha dejado. ¡Ay de mí!
    ¿En tu mente agitada,
qué feroz pensamiento
reina en este momento,
que te ha mudado así?

LISARDO. Reinan, oh Zora, en mi confuso pecho,
tal zozobra y afán,
que tienen ¡ay! mi corazón deshecho,
y mi alma rota envenenando están.
    Tu hermosura y tu amor en mi garganta
son áspero cordel,
y en torno veo entre riqueza tanta,
dc engaños y sustos un tropel.

ZORA. *(Con gran ternura.)*
    Explícame, Lisardo,
la pena que te oprime.
Lo que en ti pasa dime.
¡Ay! me muero si no.
    Habla, que ansiosa aguardo,
de tu amargo delirio,
de tu afán y martirio,
ser el consuelo yo.

LISARDO. *(Abatido, aparte.)*
    ¡Ay!... un labio tan puro y delicioso
¿podrá, cielos, mentir?...
Acaso... No, imposible. ¡Qué horroroso
entre duda y recelo es el vivir!

                     *(Alto.)*

    ¿Qué te decía, tan galán, Fineo?
¿De qué, dime, te habló?
Sólo el averiguarlo es mi deseo;
dímelo al punto, pues lo exijo yo.

ZORA.            Yo, Lisardo, gustosa
                 referírtelo quiero;
                 rendido y lisonjero
                 elogió mi beldad.
                     Me dijo que era diosa
                 de almas y corazones...
                 (*Turbada al mirar el semblante de* LI-
                 SARDO.)
                 Mas, ¿pálido te pones
                 y crece tu ansiedad?...
LISARDO.        (*Furioso.*)
                     ¡Cielos! ¿Y tú gozosa lo escuchaste?...
                 ¿Y lo osas repetir?...
                 ¿Qué veneno en mi pecho derramaste?
                 ¿en qué sima infernal me vas a hundir?
ZORA.           (*Con ansiedad.*)
                     ¡Lisardo! ¿qué te altera?
                 ¿No eres tú el que querías
                 de nuestras alegrías
                 testigo al mundo hacer?
                     ¿Y ahora de esa manera,
                 porque me elogia el mundo,
                 en rencor furibundo
                 miro tu pecho arder?
                     ¿Y feroz y celoso,
                 de mi fe pura y santa,
                 con injusticia tanta
                 te atreves a dudar?
                     Vuelve en ti, dulce esposo,
                 injustos son tus celos,
                 lo juro por los cielos...
                 Ven, tórname a abrazar.
                     Ven, injusto Lisardo,
                 y a la selva tornemos,
                 donde tantos extremos
                 a tu amor merecí.
                     Pues tiemblo y me acobardo
                 al mirar tu semblante,

inquieto y delirante
desde que estoy aquí.

LISARDO.   (*Que durante la relación anterior habrá caído
en profundo abatimiento, se arroja en brazos
de* ZORA.)

¡Ay de mí!... ¡Zora!... tu divino acento
bálsamo es celestial,
que de mi corazón calma el tormento.
Ven a mi seno, esposa angelical.

¡Ah! perdona a mi amor puro y ardiente,
¡oh divina mujer!
que en furia se convierte de repente
si teme que tu encanto va a perder.

Sí, estoy seguro de que nadie puede
tu tierno corazón
robarme, porque es bronce, que no cede
al golpe de la inicua seducción.

Mas otro susto, aunque menor...

ZORA.      (*Dudosa.*)                          ¡Lisardo!
LISARDO.   Zora, ¿no viste, dí,
la envidia y ansiedad de Clorinardo
al ver estas riquezas que hay aquí?

ZORA.         ¿Las codicia tal vez?...
LISARDO.                                   Robarlas quiere.
Mas no las robará,
aunque con esos cómplices viniere,
con los que acaso un plan ha urdido ya.

Mas no tengo, entre tanto como tengo,
una espada... Y tal vez...

                              (*Resuelto.*)
Mas no importa, que en tanto que la ob-
                                    [tengo,
me sobran mi denuedo y mi altivez.
(*Recorre inquieto la escena y* ZORA *le sigue
con la vista.*)

Suena debajo del tablado la

VOZ DEL GENIO DEL MAL

Amparo de la belleza,
defensor de la riqueza,
es el poder.
Él da al hombre
gloria y nombre,
fama eterna, eterno ser.
(LISARDO, *que oye esta voz, viene al medio de
la escena y queda pensativo.*)

ZORA.        (*Acercándose a* LISARDO.)
¿Qué nueva inquietud, Lisardo,
noto en tu semblante yo?
¿Qué otro nuevo pensamiento
agita tu corazón?

LISARDO.     Contemplando estaba, Zora,
que cuando el cielo me dio
de tu beldad el tesoro,
con el inmenso valor
de esas riquezas, dominio
y poder darme debió,
para ser de ti y de aquellas
el amparo y protección.

Y porque al cabo, ¿qué sirven,
del mundo en este rincón,
un palacio, esas riquezas,
tanta dicha, tanto amor?

Mi ardorosa fantasía
y mi activo corazón
han menester más espacio
y una esfera superior.

Hombres a quienes el cielo
el temple que tengo yo
les concede, necesitan
dar muestras de su valor,
tener mando y poderío,

y un renombre que, en la voz
de la fama, imponga al mundo
respeto y admiración.

ZORA.  (*Asustada.*)
                   ¡Lisardo!...

LISARDO.                    ¡Sí, Zora mía,
no puedo ocultarlo, no!
Arde en tan activo fuego
mi gigante corazón,
que es estrecho este recinto
para extender su explosión.
Quiero volar a otro espacio,
y de gloria y nombre en pos,
quiero recorrer el mundo;
quiero...

ZORA.  (*Afligida.*)
                   ¡Desdichada yo!
¡Abandonar, oh Lisardo,
esta opulenta mansión,
y el delicioso sosiego
que el cielo te concedió,
despreciando estas riquezas,
y mis brazos, y mi amor!
¡Insensato!

LISARDO.                    Zora mía,
porque crece la pasión
con que te adoro, deseo
gloria y poderío yo.
Ya a mis ojos esas joyas
que adornan tu frente, son
vil adorno, aunque tan rico:
quiero dártelo mayor,
del poder y de la gloria
el eterno resplandor,
y el de un nombre esclarecido,
y el de un soberbio blasón.
Quiero que atónito el mundo
al verte, diga a una voz,

amante no, reverente,
con más respeto que amor:
«Ésa, esposa es de Lisardo,
del que el orbe dominó;
del que igual no reconoce
en cuanto descubre el sol.»

ZORA.            Me estremece tu osadía,
me confunde tu ambición.
La dulce paz de las selvas
tu delirio desdeñó,
y la opulencia tranquila
ya cansa a tu alma feroz.
¡Ay, Lisardo!

LISARDO.                    Amada esposa,
tu encanto, tu tierno amor,
son los que me empujan sólo
a ansiar el verme mayor.

                                            (Agitado.)

¡Cielos... cielos! Concededme
camino por donde yo
consiga poder y gloria...
Presentadme una ocasión
para que conozca el mundo
dónde alcanza mi valor.

                                        (Fuera de sí.)

¡Todas aquellas riquezas,
que ya despreciables son
a mis ojos, trocaría
por mirarme triunfador
en un campo de batalla,
por ver a mi altiva voz
cien legiones obedientes,
por oír en la aclamación
de un pueblo entero, mi nombre
llegar al trono del sol!
¿Por qué estas delgadas sedas
templado acero no son?...

|            | ¿Por qué estas joyas en armas |
|            | no cambia la suerte?... ¡Oh! |

ZORA.      *(Muy afligida.)*
           Lisardo, Lisardo mío...
           ¡Ay, qué fuego arde feroz
           en tus ojos!... ¡Cuál tu pecho
           agitado!...                    *(Va a abrazarlo.)*

LISARDO.   *(Rechazándola fuera de sí.)*
                       ¡Aparta, no!...
           Peligros, fatigas, todo...
           ¡Hasta crímenes!...

ZORA.      *(Retrocediendo asustada.)* ¡Qué horror!

LISARDO.   Logre por cualquier camino
           poder y dominio yo.
                       *(Queda en la mayor agitación.)*

*Suenan a lo lejos trompas y timbales. Se estremece*
LISARDO, *y queda pasmada* ZORA. *En seguida se oye*
*rumor de pueblo. Corre* LISARDO *desatentado de un lado a*
*otro, y suenan voces dentro*

VOCES.     *(Dentro.)*
           ¡Viva nuestro general,
           viva el valiente Lisardo!

OTRAS.     *(Dentro.)*
           Defendiéndonos gallardo
           adquiera nombre inmortal.

ZORA.      *(Admirada.)*
           ¡Lisardo!... ¡Cielos!

LISARDO.   *(Abrazándola enajenado.)*
           Zora... ¡esposa mía!...

ZORA.      ¿Escuchas?

LISARDO.               Ya escuché... ¡Dichoso día!

*Sale* ÁRBOLÁN *ricamente vestido, con seis caballeros*
*armados, y dos pajes que en bateas de plata traen, uno una*
*coraza y un casco magníficamente empenachado, y otro un*
*escudo, una espada y un manto, y salen también una tropa*
*de guerreros y otra de pueblo*

GUER.        ¡Viva nuestro general,
             viva el valiente Lisardo!,

PUEB.        Defendiéndonos gallardo
             adquiera nombre inmortal.

ARBOL.       Lisardo generoso,
             de tu valor y esfuerzo noticioso,
             nuestro gran rey me envía
             para en su nombre el mando
             darte de sus ejércitos; ansiando
             que defiendas su extensa monarquía,
             que hoy las falanges bárbaras circundan
             y de sangre y de lágrimas inundan.

             Viste la noble malla,
             empuña altivo el fulminante acero,
             y en reñida batalla
             rinde y destroza al enemigo fiero,
             que encadenar a nuestra patria intenta
             y que de nuestro rey el nombre afrenta.
                   (*Empiezan los pajes a armar a* LISARDO.)

LISARDO.     (*Orgulloso.*)
             El mando acepto. Y en mi estrella fío
             que pronto la victoria
             coronará de gloria
             el alto aliento de mi noble brío.

ZORA.        (*Afligida, queriendo abrazar a* LISARDO.)
             ¡Oh, Lisardo!... ¡Oh, mi bien!

LISARDO.     (*Con desdén.*)              Déjame, Zora;
             de caricias y amor no es tiempo ahora.
             (*Al ceñirle la espada la empuña y dice aparte:*)
             ¡Cielos!... Tengo una espada,
             y la tengo empuñada
             con garra de león. ¡Ah! tiemble el mundo,
             pues siento de mi pecho en lo profundo
             todo un volcán arder, y de él alzarse
             y hasta el cielo lanzarse
             alma tan colosal, que una corona
             de soles busca en la elevada zona.

*(Ya acabado de armar, dice alto y con*
*energía:)*
Valerosos guerreros,
volemos al combate, a la matanza;
un triunfo en cada lanza
miren temblando los contrarios fieros.
La muerte o la victoria;
o al sepulcro, o al templo de la gloria.
*(Le presentan un escudo, se sube en él, y atra-*
*vesando por debajo dos lanzas le alzan de*
*tierra cuatro soldados, y así sale de la escena.)*

ZORA.    *(Arrojándose a su encuentro desconsolada.)*
¿Dónde, Lisardo, vas?

LISARDO.                    Donde me llama
el astro del dominio y de la fama.
                          *(Vanse. Cae el telón.)*

# ACTO SEGUNDO

## ESCENA PRIMERA

*El teatro representa la gran plaza de una magnífica ciudad
oriental, ocupada como los balcones y azoteas por un
pueblo inmenso, en que se vean distintas clases, edades y
sexos. Tremolarán banderas de colores en las torres y obe-
liscos. Se oirán bandas de músicas militares. Sale una
tropa de guerreros: detrás de ellos trofeos de pendones y
armas vencidas, y luego* ARBOLÁN *con los mismos seis
caballeros que le acompañaban en la última escena del acto
anterior. Después un magnífico carro triunfal, tirado por
cuatro reyes bárbaros encadenados y rodeado de un coro de
doncellas, vestidas de blanco, con guirnaldas y pebeteros
que echan humo. En el carro sale sentado* LISARDO *con un
rico y brillante capacete, coronado de vistosas plumas y vestido de armas resplandecientes, y encima un manto de púrpura. Detrás del carro saldrán guerreros cautivos. La
escena estará alumbrada con llama de Bengala. El carro se
parará en medio de ella y en su rededor bailarán las doncellas. El pueblo se prosterna ante él. La gruta de*
MARCOLÁN *estará siempre inmutable*

UN GUER.    ¡Viva nuestro general,
            el valeroso Lisardo!
UNO DEL PUEB. Defendiéndonos gallardo
            adquirió nombre inmortal.

TODOS.     ¡Viva nuestro general!

UNA VOZ.   *(Cantando acompañada por la orquesta.)*
     Un rayo es su espada
que al bárbaro aterra,
y al dios de la guerra
causara pavor.

CORO.      *(Cantando acompañado por las bandas militares.)*
¡Viva el vencedor!

VOZ.            La patria salvada
por su esfuerzo vemos;
ufanos cantemos
su heroico valor.

CORO.      ¡Viva el vencedor!

VOZ.            Glorioso su nombre,
que el orbe proclama,
alcance en la fama
eterno loor.

CORO.      ¡Viva el vencedor!

VOZ.            Y aterre, y asombre,
deshaga y confunda,
la saña iracunda
de todo invasor.

CORO.      ¡Viva el vencedor!
     *(Vuelven a bailar las doncellas un momento y*
*se pone en movimiento lentamente el carro.)*

UN GUER.   ¡Viva nuestro general,
el valeroso Lisardo!

UNO DEL PUEB. Defendiéndonos gallardo
adquirió nombre inmortal.

TODOS.     ¡Viva nuestro general!
     *(Sale el carro de la escena y vanse por un lado*
*y otro, y con la rapidez posible, el pueblo y los*
*coros.)*

## ESCENA II

*Se alza por escotillón un magnífico trono, y en él sentados*
EL REY *y* LA REINA *con manto real y corona. Rápida-*
*mente se cambia la escena al mismo tiempo en un salón*
*fantástico y magnífico. Salen por un lado y otro guardias,*
*damas, pajes y cortesanos, todos vestidos de gala, y*
LISARDO *con la cabeza descubierta, seguido de* ARBOLÁN
*y de sus seis caballeros*

REY.  Valeroso Lisardo, en quien el mundo
ve arder un sol de gloria sempiterna,
defensor de mi reino y de mi trono,
ven, y a mis brazos, cual mereces, llega.
Ven a que ciñan tus gloriosas sienes
de laurel eternal mi mano regia;
ven a ser el segundo de mi imperio,
y la joya mayor de mi diadema.

LISARDO.  Monarca generoso, cuyo nombre,
postrado, el mundo atónito respeta,
y a quien espero que mi fuerte lanza
haga dominador de la ancha tierra:
esas palabras que os dignáis hablarme
son premio suficiente y recompensa
de mis fatigas todas, y me ensalzan
de la inmortalidad a la alta esfera.
Logré la dicha, sí, de que mi frente
vuestra mano real hoy engrandezca
con el verde laurel; mas permitidme
que antes que goce las mercedes vuestras,
las reclame en favor de los valientes
que con esfuerzo heroico y fortaleza
a lograr la victoria me ayudaron,
y a dar cima feliz a mis empresas.
El valiente Arbolán, y estos valientes,
que hoy ante vuestro solio se presentan,
a mi lado gloriosos combatieron,

arrollando las bárbaras enseñas
y sembrando el asombro y exterminio,
de la patria y de vos en la defensa.
Antes que a mí premiadlos, yo os lo ruego,
dadles el galardón de sus proezas, pues sin
su esfuerzo y lanzas invencibles,
el término felice de la guerra
no hubiera, no, tan pronto coronado
nuestro noble valor con gloria eterna.

REY.        Con tu esfuerzo, Lisardo generoso,
que compita pretendes tu nobleza.
Ven, y el laurel recibe de mi mano,
y a tu gusto después corona y premia,
como dispensador de mis mercedes,
a los que han militado en tus banderas.
Tú, testigo ocular de sus hazañas,
tú, ejemplo de su arrojo y fortaleza;
tú, el segundo en mi imperio, eres el solo
que en mi nombre ha de darles recompensa.

LISARDO.    *(Aparte.)*
¡Oh inefable placer!... Es imposible
que alcance un hombre superior esfera.
¡Ah! ¡Todos mis afanes se han cumplido,
no hay mortal más feliz que yo en la tierra!
*(Al acercarse al trono clava los ojos en* LA
REINA *y se turba.)*
                                            *(Aparte.)*
¡Cielos!... ¡Qué sol radiante de hermosura!
Merece ser del universo reina.

*Llega al trono, hinca las rodillas delante del* REY, *éste
toma un laurel que le presenta un paje en una batea y
corona a* LISARDO. *Entre tanto suena bajo el tablado la*

VOZ DEL GENIO DEL MAL

Lisardo, en el mundo hay más.
Tú de rodillas estás
delante de este dosel,

y un hombre sentado en él,
que no es cual tú vencedor.
¿Lo sufrirá tu valor?
*(Acaba el* REY *de coronar a* LISARDO, *y éste*
*se levanta agitado y pensativo.)*

REY.       La rodilla doblad también, Lisardo,
ante las plantas de mi esposa excelsa,
para que por su mano galardone
el insigne valor que en vos alienta.

LISARDO.   *(Aparte, acercándose turbado.)*
¡Oh qué prodigio de beldad!... Mi pecho
al ir a contemplarlo tan de cerca
arde y se abrasa. ¡Oh, cuánto venturoso
será el mortal que su atención merezca!

*Se hinca de rodillas delante de* LA REINA, *y ésta se quita*
*una rica banda bordada de oro, y la echa al cuello de*
LISARDO. *Entre tanto suena bajo el tablado la*

VOZ DEL GENIO DEL MAL

¿Esa divina mujer
por qué tuya no ha de ser?...
Piensa el camino en que estás.
Lisardo, en el mundo hay más.
*(Se levanta* LISARDO *muy agitado y dice*
*aparte.)*

LISARDO.   ¡Yo de rodillas, yo, y otro hombre en tanto
sentado en un dosel!... ¡Y una hermosura,
una celeste, angélica criatura,
siendo a mis ojos su amoroso encanto!
No sé qué pasa en mi abismado pecho.
Ni la gloria, ni el eco resonante
del popular aplauso, ni el triunfante
laurel, me lo han dejado satisfecho.

REY.       *(Levantándose de su asiento.)*
¿Qué os suspende, Lisardo? Ansioso espero
que premiéis en mi nombre los afanes

de esos esclarecidos capitanes,
y en mayor libertad dejaros quiero.
*(Baja del trono.)*

REINA.    *(Con vehemencia, bajando del trono y acercán-*
*dose a* LISARDO.)
Modelo de valor y gallardía,
eterna, cual será vuestra alta gloria,
en vuestro pecho reine la memoria
de que esa banda que os ceñís fue mía.

*(Vanse* EL REY *y* LA REINA *y todo el acompa-*
*ñamiento, quedando sólo* LISARDO, ARBOLAN
*y los seis caballeros.)*

LISARDO.  *(Aparte.)*
El todo su poder así me deja,
pero no me ha sentado, no, en su trono.
Y de ella, ¡cielos!... el semblante, el tono...
No sé qué afán el corazón me aqueja.
Aún hay más, y ese más ha de ser mío.
¿Por qué me he de parar en la carrera
que ofrece la fortuna placentera
al raudo curso de mi ardiente brío?

ARBOL.    *(Hincando una rodilla, y lo mismo hacen los*
*seis caballeros.)*
Valeroso general,
permítenos que postrados,
tus favores señalados...

LISARDO.  *(Aparte, mirándolos con complacencia.)*
Puestos así no están mal.

ARBOL.    Te paguemos...

LISARDO.  *(Levantándolos con afectada solicitud.)*
                              ¡Qué locura!
Alzad, amigos leales.
pues somos todos iguales
en la gloria y la ventura.

ARBOL.    No hay ninguno igual a ti.

LISARDO.  *(Aparte.)*
¡Ojalá! *(Alto.)* Todos lo fuimos

cuando en el campo vencimos,
y debemos serlo aquí.

ARBOL.  Nos honras, que fue tu espada
la sola que consiguió
el mayor triunfo que vio
la tierra. Y es extremada
la bondad con que ante el rey,
de elogios hoy nos colmaste
y premios solicitaste...

LISARDO.  Muy justos a toda ley.
Y pues que en mi mano está
el repartirlos, pedid,
que vuestro esfuerzo en la lid
galardonado será.

ARBOL.  Eres generos y justo;
a tu voluntad dejamos
el premio, y nos sujetamos
a lo que fuere tu gusto.

LISARDO.  (A ARBOLÁN.)
Tú, senescal has de ser
del imperio, y del tesoro
quinientos marcos de oro
puedes ir a recoger.

                              (A los caballeros.)

A aquestos seis caballeros,
generales de frontera
los nombro, y tras su bandera
verán doce mil guerreros.
Y dos mil marcos de plata
cada cual ha de tomar.

ARBOL.  (Arrojándose con los seis caballeros a los pies
de LISARDO.)
Déjanos tus pies besar.
Tuviéramos alma ingrata
a no demostrar así
que esclavos tuyos nos haces;
y hasta de morir capaces
somos, Lisardo, por ti.

LISARDO.   Alzad, amigos, alzad.
ARBOL.     *(Levantándose.)*
           ¡Oh qué bondad tan inmensa!
LISARDO.   *(Con énfasis.)*
           Sólo quiero en recompensa
           que me juréis amistad.
ARBOL.     *(Con vehemencia.)*
           ¡Ojalá llegue ocasión
           en que de ella reclaméis!...
LISARDO.   ¿A todo me ayudaréis?
ARBOL.     *(Resuelto.)*
           Nuestros brazos vuestros son.
LISARDO.   Está bien. ¿Y los soldados?
ARBOL.     Os adoran, general.
           No reconocen igual
           en todos estos estados.
LISARDO.   *(Satisfecho.)*
           Está bien. Víveres, oro,
           laureles les repartid,
           y en mi nombre les decid
           que su amor es mi tesoro.
ARBOL.     Sois su numen tutelar;
           confianza en ellos tened,
           vuestro apoyo en ellos ved,
           que a todo os han de ayudar.
                          *(Vase con los seis caballeros.)*
LISARDO.   *(Después de meditar un momento.)*
           Grandes mis dichas son.
           Mucho le debo, mucho, a la fortuna.
           Ya sólo un escalón
           hay para una eminencia cual ninguna.
                                    *(Mira al trono.)*
           ¿Y no lo he de subir?...
           Fuerza, sí, para hollarlo hay en mi planta.
           ¿Quién me lo ha de impedir?...
           Aunque es su altura grande, no me es-
           ¿Qué me detengo, pues?          [panta.
           *(Se dirige al trono y se para como asombrado.)*

Ante mí, ¡cielos! se alza una barrera...
¡Ay, que más alta es
de lo que mi delirio presumiera!
¿Pero qué?... ¿yo temblar?
¿Yo como un miserable retrocedo?
No, que allí he de llegar,
allí ha de colocarme mi denuedo.
Dadme la muerte hoy,
¡cielos! o que ese puesto altivo escale.
¿Qué es la altura en que estoy
si otra mayor encima sobresale?

                              *(Meditando.)*

Heroico vencedor
me pregonan los labios de la fama...
Por su libertador
un pueblo entero atónito me aclama.
¿Y no podrá tal vez
el público entusiasmo y ardimiento
coronar mi altivez,
dándome hoy mismo ese elevado asiento?

                              *(Despechado.)*

No quiero otro mortal
ver, de rodillas yo, cual vi sentado
en ese alto sitial,
que ha de ser mío, aunque le pese al hado.
(*Corre hacia el trono resuelto y se detiene
viendo venir a* LA REINA.)
¡Cielos!... ¿Quién viene allí?
La reina, hermosa como sol luciente.
Nunca turbado vi
beldad más seductora y esplendente.

                              (*Sale* LA REINA.)

REINA.    (*Cariñosa.*)
          ¿En esta cámara solo
          aun estáis, noble Lisardo,
          y, cual vuestra frente muestra,
          pensativo y agitado?
          ¿Qué os altera y acongoja,

cuando habéis en lo más alto
la rueda de la fortuna
con firme planta fijado?
¿Qué inquietud turba los goces
que os deben dar esos lauros,
tan esclarecida gloria,
tan merecidos aplausos?
Si aún hay en el ancho mundo,
valiente guerrero, algo
que excite vuestros deseos,
al punto manifestadlo
sin temor a vuestra reina;
pues si pende de su mano,
al punto tendréis, lo juro,
cuanto apetezcáis, Lisardo.

LISARDO.     *(Perplejo.)*
¡Señora! El interés grande
que me muestra vuestro labio,
mi más fervoroso anhelo
deja cumplido y colmado.
Que merecer de ese modo
solícito sobresalto
a vuestro pecho, es señora,
una dicha, un bien tan alto,
                              *(Con vehemencia.)*
que por conseguirlo diera
gloria, laureles, aplausos,
mi sangre, toda mi vida...

REINA.       *(Complacida.)*
¿Estáis de veras hablando?

LISARDO.     Con el alma... ¿Mas qué os turba?

REINA.       *(Agitada.)*
Temor, oh noble Lisardo...

LISARDO.     *(Apasionado.)*
¿De qué?

REINA.       *(Tímida.)*
                    De que sorprendisteis
de mi pecho los arcanos.

LISARDO.  ¡Oh reina!
REINA.                    ¡Ilustre guerrero!
LISARDO.  *(Turbado.)*
          ¡Señora!... ¿Llegará a tanto
          mi dicha?... ¿Tan venturosa
          mi suerte?...
REINA.    *(Apasionada.)*
                    ¡Quién contemplaros
          puede con esa aureola,
          brillante como los astros,
          que vuestra frente circunda,
          sin que os rinda... ¡Cielo santo!
          ¿por qué la pasión del pecho
          no sabe encubrirla el labio?
          sin que os rinda... ¡Pero basta!
          no puedo más... no, Lisardo.
LISARDO.  *(Arrebatado.)*
          Vuestras palabras, oh reina,
          sol, diosa, prodigio, encanto,
          me hacen más que hombre, me lanzan
          a un cielo, que el de los astros
          deja atrás... Desde el momento
          que os vi, los ardientes rayos
          de vuestros divinos ojos
          con tan poderoso encanto
          mi corazón y mi mente
          encendieron y alumbraron,
          que ya no vi en todo el orbe
          más que a vos; a vos, ansiando
          sólo merecer dichoso
          vuestra atención y cuidado.

          Y la victoria, los triunfos,
          los laureles, los aplausos,
          ya nada para mí fueron,
          que eran nada al compararlos
          con la dicha de serviros,
          con la gloria de agradaros.

REINA.        ¡Cielos, qué escucho! ¿merezco
              que seáis vos?...
LISARDO.      *(Arrojándose a sus plantas.)*
                              Sí... vuestro esclavo
              soy, y en serlo venturoso.
REINA.        *(Levantándolo.)*
              Alzad, mancebo gallardo,
              que no está bien a mis plantas
              quien debe estar en mis brazos.
              ¿Juráis secreto profundo,
              impenetrable, de cuanto
              mi confianza deposite
              en vos?...
LISARDO.              ¿Y podéis dudarlo?
REINA.        *(Recelosa.)*
              ¿Y con valeroso esfuerzo,
              y con decidido brazo
              me ayudaréis?...
LISARDO.                      Hablad pronto,
              que en impaciencia me abraso.
REINA.        *(Satisfecha.)*
              Sí. Lo esperé desde el punto
              que os vi, glorioso Lisardo.
              Y tan ciega confianza
              con el amor en que ardo
              me inspirásteis, que resuelta
              he venido aquí a buscaros,
              porque de vos necesito.
LISARDO.      *(Resuelto.)*
              Soy vuestro humilde vasallo.
REINA.        *(Con énfasis.)*
              Sois más... Y seréis, lo juro,
              mucho más.
LISARDO.      *(Enajenado.)*
                          ¡Oh cielo santo!
REINA.        *(Agitada y con reserva.)*
              Oye. Bajo esta corona,
              bajo este soberbio manto,

la mujer más infelice
soy del orbe. Y de ti aguardo
el fin de mis desventuras,
de mis zozobras descanso.

LISARDO.    Hablad... ¿Qué tardáis, señora?

REINA.    Ese trono es mío, Lisardo.
Lo heredé de mis abuelos,
y el rey que viste sentado
en él, es rey solamente
porque yo le di mi mano.
Y se la dí, ¡desdichada!
en mis infantiles años
por políticas razones,
sin conocerlo ni amarlo.
Mas paga favor tan grande
detestándome inhumano,
y a mis pueblos oprimiendo
cual si fuesen sus esclavos.
E incapaz de defenderlos
con valor y de ampararlos,
sin tu denodado esfuerzo,
sin el vigor de tu brazo,
presa mi reino sería,
y víctimas mis vasallos
de esas huestes furibundas
que huyeron solo al amago
de tu poderosa lanza
y de tu aliento bizarro.
El pueblo y yo, no te asombre,
ansiosos necesitamos
quien nos liberte...

LISARDO.    *(Animoso.)*        Comprendo.

REINA.    Con esfuerzo...

LISARDO.                Estoy al cabo.

REINA.    Y que ocupar pueda el trono...
Y de mi pecho y mi mano...

LISARDO.    *(Con vehemencia.)*
¡Basta!... basta... al punto sea.

REINA.      ¿Y tendrás valor?... di.
LISARDO.    *(Resuelto.)*              Vamos.
REINA.      El ejército te adora,
            todo el pueblo entusiasmado
            te proclama. Y yo, tu reina,
            en amor por ti me abraso.
LISARDO.    Eso basta a darme brío
            aun para escalar el alto
            firmamento... ¡Al punto, al punto!
            ¿Do el rey está? ¡Qué tardamos?
REINA.      Aguarda, joven heroico;
            pues cuento ya con tu brazo,
            voy a preparar el golpe,
            a sosegar el palacio,
            a adormecer a las guardias,
            a alejar los cortesanos,
            y tornaré en busca tuya.
            Espérame aquí, Lisardo.
                                    *(Vase apresurada.)*
LISARDO.    *(Fuera de sí.)*
            ¡Cielos!... ¿Con que ya del solio
            me dáis el camino franco?
            En él sabré colocarme.
            Y al ver al mundo postrado,
            como escabel de mi planta
            sabré, vive Dios, hollarlo.
                                    *(Sale* ZORA.*)*
ZORA.       *(Cariñosa.)*
            Esposo del alma mía,
            mi amor, mi felicidad,
            ¡ay Dios, con cuánta ansiedad
            te he seguido todo el día!
LISARDO.    *(Sorprendido y aparte.)*
            ¿Zora aquí?... ¡Oh fatalidad!
ZORA.       *(Con gran afán y ternura, arrojándose en
            brazos de* LISARDO.*)*
            Dame tus brazos, Lisardo,
            ven y descansa en mi pecho,

|           |                                      |
|-----------|--------------------------------------|
|           | que gozoso y satisfecho              |
|           | te encuentra al fin tan gallardo.    |
| LISARDO.  | *(Aparte abrazándola confuso.)*      |
|           | ¡Todo mi plan se ha deshecho!        |
| ZORA.     | Entre turbas populares,              |

que tu nombre proclamaban,
y guerreros que ensalzaban
tus hazañas singulares
y ardientes vivas te daban;
y al fin en estas mansiones
de reyes y cortesanos,
que te dan a llenas manos
lauros, palmas y blasones,
y timbres y honores vanos,
afanosa te seguí;
sin saber cómo pudieras
horas ver tan lisonjeras,
sin que, buscándome a mí,
conmigo verlas quisieras.

LISARDO. *(Turbado.)*
¡Oh, Zora!

ZORA.                Y como hoy lo allana
todo tu nombre, alcanzar
con él pude el penetrar
hasta aquí, do logro ufana
todo mi anhelo encontrar.
Sí, te hallé, querido esposo.
                    *(Abrazándolo otra vez.)*
Torna al seno palpitante
de tu Zora, que anhelante,
sin ti no encuentra reposo.
*(Notando la inquietud y desdén de* LISARDO.*)*
Mas, ¿qué anubla tu semblante?
¿Qué miras en derredor?...
¿Por qué desdeñas los lazos
de mis cariñosos brazos?...
¿Olvidaste ¡ay! mi amor?...
Tengo el alma hecha pedazos.

LISARDO.    *(Muy agitado.)*
            ¡Zora!... ¡Zora!
ZORA.                              ¿Qué, cruel?...
LISARDO.    *(Perplejo.)*
            En esta estancia sería
            abrazarte demasía...
            ¿No miras allí un dosel?...
ZORA.       *(Apasionadísima y abrazándolo.)*
            Sólo a ti ve el ansia mía.
LISARDO.    *(Separándola con inquietud.)*
            ¡Zora!... No es este el momento...
            La reina...
ZORA.       *(Asustada.)*
                         ¡Lisardo mío!
            ¡Tú tiemblas... de sudor frío
            bañado tu rostro siento!...
            ¿Qué tienes?...
LISARDO.    *(Despechado.)* ¡Destino impío!
            *(Esforzándose por disimular su agitación.)*
            Zora, ¿por qué abandonaste
            nuestro palacio, y así
            a la corte, y hasta aquí
            a venir te aventuraste?
ZORA.       *(Con vehemencia.)*
            Vine buscándote a ti.
LISARDO.    Está bien... Mas es forzoso
            que regreses al instante.
            Es en extremo importante
            a mi vida, a mi reposo...
ZORA.       *(Abatida.)*
            Lisardo, ¿estás delirante?...
            ¿A tu reposo, a tu vida,
            importante puede ser
            alejar a esta mujer,
            a ti para siempre unida?...
LISARDO.    *(Turbadísimo.)*
            No me puedes entender.
            ¡Zora!...

ZORA.    *(Desconsolada.)*
        Sí, te entiendo, sí.
Has olvidado mi amor,
y sólo estorbo... ¡oh dolor!
es ya Zora para ti.

LISARDO.    *(Conmovido y aparte.)*
¡Cielos!... ¡ah!... ¡Qué hermosa es!
          *(Alto yendo a abrazarla.)*
¡No, que mi pecho te adora!...
            *(Conteniéndose.)*
¡Mas ay!... retírate ahora.
Ya nos veremos después.
               *(Resuelto.)*
Déjame aquí solo, Zora.

ZORA.    *(Desconsolada.)*
Sí, Lisardo, ya me alejo,
pero tendrás entendido,
amante desconocido,
que para siempre te dejo.
Tengo el corazón partido.
    *(Queda a un lado llorando y abatida.)*

LISARDO.    *(Aparte, enternecido y contemplándola.)*
¡Zora!... tan pura... tan bella...
tan tierna y angelical...
¡Cielos, qué angustia mortal!...

*Suena bajo el tablado la*

VOZ DEL GENIO DEL MAL

Lisardo, elige entre ella
y la corona real.

LISARDO.    *(Resuelto y aparte.)*
Sacrificarla es preciso,
cueste lo que cueste, sí.
               *(Alto.)*
Zora, al punto sal de aquí,
que es grande tu compromiso,

             y en el que me has puesto a mí.
             Si me amas, vete... lo ordeno.

ZORA.        *(Confundida.)*
             ¡Ay de mí desventurada!

                               *(Suplicante.)*

             ¡Lisardo!...

LISARDO.          No escucho nada.

ZORA.        ¡Qué mortífero veneno
             das a mi alma desgarrada!
             Sé, Lisardo, venturoso,
             y si es precisa mi muerte
             para venturoso verte,
             ingrato y feroz esposo,
             completa será tu suerte.

LISARDO.     *(Enternecido.)*
             ¡Zora!
                 *(Desconcertado viendo venir a* LA REINA.*)*
                ¡Mas la reina aquí
             llega apresurada, sí!
             *(La ase del brazo y la arroja de la escena.)*
             ¡Cielos! ¿y no me confunde
             la tierra, o te traga y hunde?...
             ¡Huye, mísera!

ZORA.        *(Cayendo detrás del bastidor.)*
                ¡Ay de mí!
             *(Queda* LISARDO *agitado y descompuesto, procurando esconder el sitio por donde arrojó a* ZORA, *y sale* LA REINA. *El teatro se oscurece.)*

REINA.        ¡Lisardo!

LISARDO.          ¿Señora?

REINA.                 Todo
             nos es favorable.

LISARDO.             Vamos.

REINA.       ¿Mas qué turbación te agita?

LISARDO.    *(Esforzándose.)*
             El ansia de libertaros
             de un opresor.

REINA.      *(Observándolo.)*
                              ¿Pero tiemblas?
LISARDO.  ¿Yo?... no.
REINA.      *(Asiéndole del brazo.)*
                              Sí, tiemblas. ¿Acaso
              el valor te falta?
LISARDO.  *(Repuesto.)*
                              ¡Nunca!
              Pronto estoy a demostrarlo.
              Mi inquietud es solamente
              ansia de llevar a cabo
              tu venganza y la del pueblo.
REINA.      Pues ni un momento perdamos.
              El rey dormido...
LISARDO.                           ¡Dormido!
REINA.      Dormido. Y es necesario
              que en la eternidad despierte.
LISARDO.  *(Retrocediendo.)*
              Ahora tiemblo y me acobardo.
              ¿Ha de dar muerte a un dormido,
              con traidor golpe, mi brazo?
              Cuerpo a cuerpo mejor fuera.
REINA.      ¿Qué pronuncias?... ¡Insensato!
              Nunca empresa tal se fía
              al capricho del acaso;
              que en asegurar el golpe
              está la gloria y el lauro.
              Ese trono, esta corona,
              mi tierno amor y mi mano,
              merecen...
LISARDO.                  ¡Basta, volemos!


*Se hunde el trono por el escotillón por donde salió, y se descubre en el espacio que ocupaba una ancha puerta; y dentro al* REY *dormido en un magnífico lecho de púrpura, a la luz de una lámpara. Todo el teatro estará oscuro, menos la alcoba*

REINA.        (*Dándole un puñal y señalándole al* REY.)
              ¡Allí está todo, Lisardo!
              (LISARDO *titubea horrorizado.* LA REINA *lo
              empuja, y él se arroja decidido, enarbolando el
              puñal, y cae el telón.*)

# ACTO TERCERO

## ESCENA PRIMERA

*Salón del trono. Aparecen* LISARDO *con manto real y corona, y* LA REINA. *La gruta de* MARCOLÁN *se verá siempre inmutable*

LISARDO.   *(Satisfecho.)*
             ¡Ya soy rey!
REINA.                   Sí; ya tus sienes
             ciñe la real diadema,
             y la púrpura suprema
             como propio ornato tienes.
LISARDO.   *(Ufano.)*
             Sí, que desde ese dosel,
             hace un momento, he mirado
             a todo un pueblo postrado
             jurarme homenaje en él.
REINA.      Y homenaje el más sincero,
             pues te aclamó soberano
             en cuanto te di mi mano;
             como al más fuerte guerrero,
             de defenderlo capaz
             y de asegurar sus glorias,
             con hazañas y victorias,
             de todo invasor audaz.

¿Has visto cuán fácilmente
a los hombres se fascina,
y a una nación se alucina
desde una altura eminente?
Del rey muerto, como ves,
ni un vago recuerdo hay ya;
tranquilo el imperio está,
y prosternado a tus pies.
Nadie, nadie sospechó
que el golpe que allí te ha puesto,
fue de tu mano, o muy presto,
si hubo sospecha, pasó.

LISARDO. *(Confuso.)*
¿De mi mano?... Sí, lo fue.

REINA. Deja esos recuerdos vanos.
Rendidos los cortesanos
vendrán a besarla.

LISARDO. *(Asustado.)*           ¿Qué?...
¿Mi mano?...

REINA.                          Tu mano, sí.

LISARDO. *(Mirándose horrorizado la mano.)*
¡Está de sangre manchada!
¿Lo ves?...

REINA. *(Turbada, y reconociendo la mano de* LI-
SARDO.*)*
                    No, no tiene nada.

LISARDO. Una mancha tiene aquí.

REINA. ¿Deliras?...

LISARDO. *(Como enajenado.)*
                    No, no deliro.
Que me juren, está bien.
Que la corona mi sien
ciña... y aún a más aspiro.
Pero esconderé la mano,
porque de sangre una gota
la mancha... Si alguien la nota...

REINA. *(Animándolo.)*
Todo tu recelo es vano.

El misterio más profundo,
del rey muerto el fin esconde;
ni cómo acabó, ni en dónde,
lo sabrá jamás el mundo.

LISARDO.  *(Receloso.)*
Pero tú y yo lo sabemos.

REINA.   Y lo sabremos callar.

LISARDO.  *(Repentinamente repuesto.)*
Pues bien, vamos a reinar,
y entrambos a dos callemos.
*(Queda un momento contemplando el trono y
de repente sube a él.)*

REINA.   *(Aparte.)*
¡Si su delirio abandono,
perdida me considero!
*(Le sigue con la vista observándolo de lejos con
inquietud.)*

LISARDO.  Saborear a solas quiero
todo el placer que da el trono.
                                    *(Se sienta.)*
                         *(Hablando consigo mismo.)*
Sólo se sienta aquí un rey.
Aquí soy omnipotente,
aquí el mundo reverente
ve en mi capricho una ley.
¿Quién mi igual se llamará?
Nadie, nadie... Pues asombre
al orbe entero este hombre,
que en tanta eminencia está.
                                    *(Pónese en pie.)*
Raíces hondas juzgo aquí
haber echado mis pies,
pues ya el bajar de aquí es
duro esfuerzo para mí
No está más firme la encina
secular en la montaña,
ni el escollo que la saña
del rugiente mar domina.

Mi poder es colosal.
Toda envidia se desarme.
¿Quién puede de aquí arrancarme?

*Suena bajo el tablado la*

VOZ DEL GENIO DEL MAL

De un asesino el puñal.

LISARDO.   *(Bajando precipitado del trono, con la mayor
agitación.)*
¡Cielos!... ¿Qué idea de horror
me confunde de repente?
¡Ay, que mi orgullosa frente
hirió un rayo aterrador!

REINA.   *(Asustada, acercándose a* LISARDO.)
Lisardo, señor, esposo,
¿qué accidente repentino
los profundos pensamientos
y los proyectos altivos,
que os ocupaban a solas
en bien del imperio mío,
trastorna de tal manera
y a vuestra faz roba el brillo?
¿Qué os aqueja?... ¿Qué os asusta?
¿Por qué de repente os miro
tan turbado?

LISARDO.   *(Confuso.)* ¿Yo turbado?...

                                    *(Aparte y repuesto.)*

Disimular es preciso,
que descubrir mis temores
mengua fuera de mi brío.

                                              *(Alto.)*

Contemplaba, amada esposa,
el gran peso que el destino
ha colocado en mis hombros,
y las fuerzas que en mí mismo
reunir para sustentarlo
debo con tenaz ahínco.

Y hallo, sí, viven los cielos,
que aun es el aliento mío
tan superior a la carga
que sobre mis hombros miro,
que estoy dispuesto a que el orbe
me admire como a un prodigio.
Y estoy dispuesto...          *(Queda distraído.)*

REINA.  *(Asustada.)*          ¡Lisardo!

                              *(Aparte.)*

Me asustan sus desvaríos,
y que sus locos proyectos
le entibien en mi cariño.
Llamar su atención me importa,
encadenarle es preciso,
si han de tener cumplimiento
mis planes y mis designios.

                    *(Alto y en extremo cariñosa.)*

Lisardo, mi amado esposo,
vuelve en ti, Lisardo mío.
¿Seré tan desventurada
que de la corona el brillo,
y los cuidados inmensos
que el cielo encargarte quiso,
te hagan entregar, ingrato
mi tierno amor al olvido?

LISARDO.  *(Vuelve en sí y le echa los brazos.)*
¡Jamás!... A mi seno llega.
¡Eres mi amor, mi delirio!

                    *(La abraza y dice aparte:)*

No sé qué pasa en mi pecho
ni yo me entiendo a mí mismo.

                    *(Se separa y continúa aparte:)*

Esta mujer tan hermosa,
que dominó mis sentidos
un momento... ahora... la amo.
Pero en el alma un vacío
me deja... ¡Mi Zora, cielos!...

¡Oh! ¡Qué soberano hechizo
era para mí! Esta es reina,
y de mí sólo son dignos
de una reina los amores.
La amo, sí... No sé qué digo.
En un mar de confusiones
y de desdichas me abismo.

REINA.      *(Que ha estado contemplando a* LISARDO *con
temor e inquietud.)*
Veo, Lisardo, que en tu mente
mil pensamientos distintos
se agolpan, y que te agitan
fantásticos desvaríos.
No es extraño: las diversas
conmociones, que han herido
tu corazón en la altura
do tu estrella y mi cariño
te han colocado, no pueden
tener tu pecho tranquilo.
Sal a caza [10], el aire libre
respira, Lisardo mío.
Corre esas verdes praderas,
cruza esos parques sombríos
que este palacio circundan,
y tendrá tu mente alivio.

LISARDO.    Sí, mientras llega la hora
del regio festín, preciso
es que busque yo en los campos
descanso de mis delirios.
                                    *(Se acerca al bastidor.)*
¡Hola!                           *(Sale un paje.)*

PAJE.              ¿Señor?

LISARDO.                Mis caballos
y monteros al proviso
se apresten para la caza,
que ir al campo determino.

_____

[10]  *a caza,* 'de caza'.

Y al gran Senescal decidle
que al punto venga a este sitio.

REINA. *(Cuidadosa.)*
¿Con tanta priesa? ¿qué quieres
de Arbolán? Di.

LISARDO. Que conmigo
venga a caza. Le amo tanto,
que es mi consuelo.

REINA. *(Aparte.)* Respiro.
*(Sale ARBOLAN.)*

ARBOL. *(Hincando una rodilla.)*
A vuestros altos preceptos
siempre obediente y sumiso,
llego ansioso a vuestras plantas,
sólo anhelando serviros.

LISARDO. *(Levantándolo.)*
Alza, Arbolán valeroso,
y llega a los brazos míos.
Te llamo para que a caza
vengas al campo conmigo.

ARBOL. *(Dudoso y mirando a LA REINA.)*
¡Señor!...

LISARDO. Sí, tu compañía
hoy cual nunca necesito.
Tú eres de cuantos me cercan
el hombre que más estimo,
por quien amistad más pura
en mi corazón abrigo.

ARBOL. Tantas honras me confunden,
pero me abren el camino
de poder manifestaros
que esa amistad, que benigno
me concedísteis, pagada
está por el pecho mío.

LISARDO. Me gozo en reconocerlo;
¡es el tener un amigo
don tan grato en esta vida
de zozobras y peligros!

Mas, vamos juntos al campo.
ARBOL.      *(Turbado.)*
No puedo, señor, seguiros.
REINA.      ¡Imposible!
ARBOL.                        En el momento
en que un cambio repentino
de estos reinos en el trono
admirado el mundo ha visto,
para que tengáis descanso,
que yo vigile es preciso.
LISARDO.    *(Mortificado.)*
Está bien. No me acompañes.      *(Aparte.)*
¡No sé cómo me reprimo,
pues al verme contrariado!...
Mas reprimirme es preciso.
¿Conque no lo puedo todo?
¿Conque en el mundo hay motivos
que aunque fútiles y leves,
obligan a que el rey mismo
su voluntad sacrifique?...
Se confunde el pecho mío.
      *(Hace seña, y se van LA REINA y ARBOLÁN.)*


ESCENA II

*Al ir a salir LISARDO se cambia la escena en un bosque
intrincado. Decoración corta. El queda vestido ricamente
de cazador*

LISARDO.    *(Arrimándose al bastidor, como hablando con
            sus cazadores,)*
Disponed de la caza el aparato
por esos bosques y empinados cerros.
Soltad los gerifaltes y los perros.
Dejadme a solas descansar un rato.
            *(Viene a la mitad de la escena.)*
Mientras mis cazadores no reposan,
persiguiendo las fieras y las aves,

quiero dar rienda a pensamientos graves
que por doquier me siguen y me acosan.
Monarca de un imperio poderoso,
ya me respeta prosternado el mundo,
y me anonado absorto, y me confundo
al ver que en sitio tal no soy dichoso.
No lo soy, no. Pensé que la corona
de la felicidad todos los bienes
en sí encerraba, y al ceñir mis sienes
nuevos afanes sobre mí amontona.
      *(Se sienta muy agitado.)*
Un peso tengo aquí,
    *(Pone la mano sobre el corazón.)*
       peso que abruma
mi existencia infeliz, peso de un crimen,
y del que no me libran y redimen
ni solio, ni poder, ni alteza suma.
También ¡ah! me confunde el pensamiento
de que de una mujer debo a la mano
la corona, y el trono soberano,
en que cercado de pavor me siento.
        *(Pausa.)*
¿Por qué no nací rey?... Advenedizo
tal vez con risa de desdén me llaman
allá en su corazón los que me aclaman...
¡Y su aplauso mi orgullo satisfizo!
El mortal, ¡ay de mí! más desdichado
soy, que cobija con su manto el cielo,
corriendo de un anhelo en otro anhelo
a una sima sin fondo despeñado.
        *(Pausa.)*
¿Por qué no nací rey?... Mas si el destino
me negó el que naciera en regia cuna,
armas me dio, y valor, y alta fortuna,
que del poder y el trono son camino.
        *(Exaltado.)*
Al derecho de sangre el de conquista
sustituyan mi espada y la victoria,

y un reino fundaré con alta gloria
que unido siempre con mi nombre exista.
Sí, aprovechando brazos y riquezas,
de que hoy disponer puede mi albedrío,
ganaré un reino que se llame mío
y que deba su nombre a mis proezas.
*(Suena una estrepitosa carcajada.* LISARDO
*sorprendido se levanta y mira a todos lados.)*
¡Cielos! ¿Quién se esconde aquí
y de mi plan se burló?
¿Quién tan inmediato a mí
osó colocarse?...

*Mientras* LISARDO *dice estos versos, sale por escotillón, en
medio de la escena, una bruja estrafalariamente vestida de
negro y encarnado, con una vara en la mano, en que estará
enroscada una culebra, y cuyo pomo será una calavera*

BRUJA.                              ¡Yo!
LISARDO.     *(Repara en la* BRUJA, *retrocede horrorizado y
             luego torna repuesto.)*
             ¿Y quién, mísera mujer,
             eres tú?... Dilo, infeliz.
BRUJA.       *(Con sarcasmo.)*
             Una infelice, que a ver
             viene a un hombre muy feliz.
LISARDO.     *(Airado.)*
             ¿Sabes, di, que tu rey soy?...
             Cuenta con tus labios ten.
BRUJA.       *(Con desprecio.)*
             ¿Y sabes que donde estoy
             soy yo tu reina también?
LISARDO.     *(Despreciándola.)*
             Noto que eres loca tú.
             Y si vienes a pedir
             limosna...
BRUJA.       *(Atajándolo.)*
                         Por Belzebú,

que me haces, necio, reír.
*(Con acento solemne.)*
Soy por sobrehumana ley
en todo a ti superior,
pues te engañas si por rey
no reconoces mayor.
Y para que veas lo soy
en muchos grados a ti,
sabe que enterada estoy
de que tu mano...

LISARDO.  *(Trastornado.)*  ¿Qué oí?
*(Queriendo taparle la boca.)*
¡Calla, mujer infernal!
¡Calla, calla, vive Dios!...

BRUJA.  *(Indiferente.)*
Callaré, pues es igual,
lo que sabemos los dos.
*(Con tono de superioridad.)*
Y para la insensatez
con que juzgaste venir
a tus plantas mi altivez
por limosna, confundir;
cuando a darte mi favor
vine, orgulloso mortal,
y a alejar de ti el rigor
de tu destino fatal,
quiero que veas aquí
que tengo, cual tú, dosel,
y corte, que como a ti,
me rinda homenaje en él.

*Da un golpe en el suelo con la vara, y sale detrás de ella, por escotillón, un trono, cuyo asiento será un caimán, y su respaldo un murciélago colosal con las alas extendidas, y echando fuego por los ojos. Se sienta en él LA BRUJA y de un lado y otro salen de debajo del tablado monstruos, diablos, esqueletos y sombras, que la rodean. LISARDO retrocede horrorizado sin volver la espalda. La escena se oscurecerá*

LISARDO.    ¡Cielos! ¡Cielos! ¿Me engañan mis sen-
                                              [tidos?
            ¡Oh, qué fascinación!
            Mis ojos, mis oídos
            son presa de fantástica ilusión.

BRUJA.      *(Con tono feroz y descompuesto.)*
            Póstrate, mísero.
            Trémulo, pálido,
            llega a mis pies.
            Sol salutífero
            mi rostro escuálido
            para ti es.

LISARDO.    *(Repuesto y animoso.)*
            Si tú del hondo, aterrador infierno
            osas la frente alzar,
            sírvate de gobierno
            que nunca, nunca yo supe temblar.
            Que en la grandeza en que me puso el hado,
            y mi ardiente ambición,
            miro el orbe postrado,
            y nada turbará mi corazón.

BRUJA.      *(Indignada.)*
            ¿Y no ves sangre en tu mano,
            y un atroz
            crimen, que de noche y día
            es tu verdugo y tirano
            más feroz?
            ¿Ignoras que la voz mía
            publicar
            puede, mísero gusano?...

LISARDO.    *(Postrándose horrorizado.)*
            Basta... basta. ¡Estrella impía!

BRUJA.      Ya temblar,
            y ante mis plantas te veo.

LISARDO.    *(Confundido.)*
            Calla... sí,
            o por piedad dadme muerte.

BRUJA.　　Siempre debe estar el reo
　　　　　prosternado de esa suerte,
　　　　　temblando así.
　　　　　Tu grandeza, tu ambición
　　　　　nada son.
　　　　　Niebla leve, humo fugaz,
　　　　　en que audaz
　　　　　quieres asiento
　　　　　formar de torres, que se lleva el viento.
　　　　　Oscuro es tu porvenir,
　　　　　y decir
　　　　　mucho de él pudiera yo.
　　　　　Pero no,
　　　　　no diré nada:
　　　　　corre ciego tu suerte desastrada.

　　　　　　　　　　　　　　　　*(Pausa.)*

　　　　　Lástima al cabo me das.
　　　　　Toma este anillo
　　　　　pobre, sin brillo,
　　　　　y con él invisible serás.

　　　　　　　　　*(Tira un anillo a* LISARDO.*)*

　　　　　Y de un apuro,
　　　　　terrible y duro,
　　　　　por su mágico influjo saldrás.
　　　　　Vuela a tu corte,
　　　　　puede te importe,
　　　　　ese anillo te lleva veloz.
　　　　　Y tus monteros
　　　　　y caballeros
　　　　　una sombra, formada a mi voz,
　　　　　igual a ti verán,
　　　　　y detrás de ella a tu palacio irán.

*Desaparece rápidamente por escotillón* LA BRUJA *con su
trono y todo su acompañamiento, y vuelve a iluminarse la
escena*

LISARDO.　*(Se pone en pie estupefacto, y mira en derredor
　　　　　de sí con ojos asombrados.)*

Todo desapareció.
Fue un engaño de mi mente,
una ilusión solamente
que mi vista alucinó.
A alzarse torne mi frente.

                    *(Profundamente conmovido.)*
¿Fue de mi crimen la sombra
que me persigue tenaz?
¿Es ella sola capaz?...
Sí, que me sigue y me asombra
vigilante y pertinaz.
Pero no, no... respiremos.
Vanos delirios, huid,
no más tras de mí venid,
no más en locos extremos
mi mente ofuscada hundid.
Todo, sí, delirio fue.
*(Asombrado viendo en el suelo el anillo de la*
BRUJA.)
¿Pero qué miro en el suelo?
*(Lo recoge.)*
El anillo... ¡santo cielo!
¡la sortija misma que
tiró esa visión!... Me hielo.

                              *(Asombrado.)*

¿Conque ha sido realidad
todo lo que absorto vi?...
Lo ha sido, no hay duda, sí.
Lo ha sido, pues es verdad
la prenda que tengo aquí.

                              *(Confuso.)*

¿Es el hombre, santo cielo,
juguete de otro poder
que no alcanza a comprender?
¡Qué horror da, qué desconsuelo
pensar que así pueda ser!
*(Pausa y queda en profunda meditación, de la*

> *que le saca un ligero rumor, volviendo el rostro*
> *adonde se oye.)*
> Mas dos de mis cazadores
> vienen sin duda a buscarme.
> Ahora podré cerciorarme,
> sin disfrazar mis temores,
> ni esconderme, ni ocultarme,
> si es efectivo que puedo
> invisible a todos ser,
> solamente con poner
> esta sortija en mi dedo,
> cual dijo aquella mujer.

> *(Pónese el anillo.)*

> *(Salen dos cazadores, que registrarán toda la*
> *escena sin ver a* LISARDO.)

CAZ. 1.º  Te digo que aquí no está.

CAZ. 2.º  Aquí quedó descansando
ha corto rato, mandando
retirarse a todos.

CAZ. 1.º                  Va
ya hacia el soto galopando.

CAZ. 2.º  Te has equivocado. Yo,
que aquí está, te digo.

CAZ. 1.º                          Pues
que aquí no está, ya lo ves.

CAZ. 2.º  Es cierto que no está, no.
¡Cosa que me aturde es!

CAZ. 1.º  No dudes, no, que el rey era
el que iba al soto. Marchemos,
No sea que en falta quedemos.

CAZ. 2.º  Al través de esta ladera
pronto al puesto llegaremos.

> *(Vanse los cazadores.)*

LISARDO.  *(Maravillado.)*
¡Cielos!... ¡cielos!... invisible
me hace este anillo... ¡Oh portento!
Confunde a mi entendimiento
encanto tan increíble.

¿Pero qué duda mi aliento?...

                                                    *(Animoso.)*

Si es verdad este prodigio,
¿qué retardo el penetrar,
por medio tan singular,
cuanto mi fama y prestigio
pueden del mundo alcanzar?
Sí, pues hay tan superior
ente que me cuida y guía,
cesen mi afán y agonía,
tiemble el orbe mi valor
y bese la planta mía.                               *(Vase.)*


## ESCENA III

*El teatro representa la gran plaza en que fue el triunfo de la
primera escena del acto segundo, y aparece llena de pueblo,
que se reparte en diferentes grupos, como hablando entre
sí, y sale* LISARDO

LISARDO.   *(A un lado con la sortija en el dedo.)*
           De la sortija el encanto,
           pues invisible me oculta,
           indagar me proporcione
           entre esta mezclada turba
           lo que de mí piensa el mundo,
           lo que la fama me adula.
           A aquel corro de villanos,
           que allí se apiña y agrupa,
           quiero acercarme, seguro
           de que hablan de mí.
                         *(Se acerca a un corro de villanos.)*
                                No hay duda.
VILL. 1.º  Al nuevo rey aún no he visto.
VILL. 2.º  No has perdido mucho. Nunca
           vi una cara de vinagre
           tan agria como la suya.

VILL. 3.º   ¿Y desde dónde ha venido
            hasta ser nuestro rey, una
            persona desconocida?...
LISARDO.    *(Aparte.)*
            ¡Oh, qué terrible pregunta!
VILL. 1.º   ¿Qué sé yo?... Diz que ha ganado
            con valor victorias muchas,
            y parece...
VILL. 3.º                   ¿Acaso él solo
            las ganó, o fue con la ayuda
            de nuestros hijos y hermanos?
            ¡Maldita sea la fortuna!
VILL. 2.º   Siempre el que manda se lleva
            el premio de las angustias
            y valor de los soldados.
VILL. 1.º   Y a los pobres nos despluma.
VILL. 3.º   Dicen que éste a desplumarnos
            va, para nuevas trifulcas
            y guerras, que mucha sangre,
            y sin ventaja ninguna,
            nos costarán.
VILL. 1.º                  El rey muerto
            al menos en paz profunda
            nos mantuvo.
VILL. 2.º                  Lo que es éste,
            ya verás cómo nos chupa,
            que es un demonio.
VILL. 1.º                       ¿De veras?
            Pues si tal hace...
VILL. 3.º                        ¿Lo dudas?...
VILL. 1.º   Pues si tal hace... veremos
            cuánto el hacerlo le dura.
LISARDO.    *(Se separa confundido del corro de villanos.)*
            ¡Cielos! ¿Tal disgusto reina
            entre la plebe?... ¿Es en suma
            este el entusiasmo ardiente
            en que mi poder se funda?
            Mas allí varios soldados,

hablando entre sí, se juntan.
Ellos, ellos son mi apoyo,
con ellos nada me asusta.
Acercaréme a escucharlos.
                    (*Se acerca a un corro de soldados.*)

SOLD. 1.º Amigos, grandes y muchas
son las mercedes y gracias
con que el nuevo rey procura
premiarnos.

SOLD. 2.º                    No lo agradezco,
que es por conveniencia suya
mostrarse tan generoso.
Pues al cabo su fortuna
sólo en nosotros se apoya,
y nosotros a la altura
lo levantamos del trono.

SOLD. 1.º Muy dignamente lo ocupa.

SOLD. 2.º Otros también dignamente
pudieran, sin duda alguna,
y mejor que él ocuparlo.
Que aunque es su arrogancia mucha,
no falta quien en denuedo
y arrojo le sobrepuja.

SOLD. 1.º En las últimas batallas
fue un portento de bravura.

SOLD. 2.º ¿Y qué, Arbolán nada hizo?

LISARDO. (*Aparte.*)
¡Arbolán!... ¡Cielos!... ¡disfruta
fama tanta!

SOLD. 2.º                    Por mi vida,
que lanza como la suya
no enristra nadie en el mundo.

SOLD. 1.º ¿En eso quién pone duda?

SOLD. 2.º Y el orgulloso Lisardo...
al fin... es...

SOLD. 1.º                    Qué?...

SOLD. 2.º                              ¿Lo preguntas?...
Lo diré... un advenedizo.

LISARDO.   *(Aparte, furioso.)*
                 ¿Esto mi cólera escucha?
                 Estoy de furor ahogado...
                 Canalla soez, inmunda.
                            *(Queriendo arrojarse a ellos.)*
                 Ahora mismo entre mis brazos...
                 *(Sintiéndose detenido por una fuerza superior.)*
                 Mas ¿quién detiene mi furia?...
                 Este misterioso anillo,
                 que todo mi esfuerzo anula;
                 pues siento como ligadas
                 mis manos por fuerza oculta.

                                          *(Pausa.)*

                 Allí varios caballeros
                 reunidos están. Sin duda
                 hablarán como leales,
                 y como cumple a su alcurnia.
                       *(Se acerca a un corro de caballeros.)*

CAB. 1.º    Malos tiempos nos esperan.
                 Ni honras, ni haciendas seguras
                 tendremos... Tiempos fatales,
                 de trastornos y de angustias.

CAB. 2.º    Yo no sé cómo la reina
                 ha dado tan sin cordura
                 su mano y el trono y cetro
                 a Lisardo, que es en suma
                 un aventurero.

LISARDO.   *(Aparte, desconcertado.)*

                                 ¡Oh rabia!
                 Los que así su envidia apuran
                 son los mismos que postrados
                 vi a mis plantas en la jura,
                 tenerse por venturosos
                 con sólo merecer una
                 sonrisa mía... ¡Malvados!

CAB. 1.º    *(Recatándose.)*
            Y pues nadie nos escucha,
            os diré...

CAB. 2.º            ¿Qué?...
            *(Se reúnen todos.)*

CAB. 1.º                    Que sospecho...

LISARDO.   *(Aparte, agitado.)*
            ¡Sus palabras me atribulan!

CAB. 2.º   ¿Qué sospechas?

CAB. 1.º                    Que la suerte
            del rey difunto, que ocultan
            ese misterioso velo
            y esa oscuridad profunda,
            fue acaso...

CAB. 2.º            ¿Qué? ¿De la reina?...

CAB. 1.º   Fue acaso, amigos, alguna
            traición de ese monstruo inicuo
            que el regio dosel usurpa,
            que la majestad afrenta
            y que a la nación abruma.

LISARDO.   *(Se retira confundido.)*

            ¡Basta!... ¡basta!... ¡Yo me ahogo,
            fuego en mis venas circula!
            ¿Ya se sospecha?... ¿Y se dice?...
            Sí, lo he escuchado... no hay duda.
            Estoy un volcán hollando,
            pronto a reventar. La chusma
            habla de mí sin respeto,
            la soldadesca me insulta,
            y me observa y me persigue
            de la nobleza la astucia.
                        *(Recobrando su energía.)*
            ¡Mas no importa! empuño el cetro,
            arde mi pecho de furia:
            si hay conjuración, en sangre
            sabré ahogarla antes que cunda.
            En el alcázar entremos,

invisible con la ayuda
de este misterioso anillo,
a ver si allí se conjura.
*(Al ir a salir de la escena cambia la decoración.)*

## ESCENA IV

*Galería interior de palacio. Decoración corta; salen*
LA REINA *y* ARBOLAN *hablando entre sí con recato*

LISARDO.  Hacia aquí la reina viene
hablando con Arbolán.
Tiemblo en la duda espantosa
de lo que voy a escuchar.
¡Ay, que de hacerse invisible
la anhelada facultad,
es un tormento horroroso,
es un presente infernal!
Mas aprovecharme es fuerza
de ella, que puede importar
a mi vida y a mi nombre.
¡Oh qué terrible ansiedad!

*(Se acerca.)*

REINA.  Tus dudas y tus recelos,
oh generoso Arbolán,
son infundadas e injustos,
si de mí seguro estás.
Sabes que por tí mi pecho
arde mucho tiempo ha,
desde los primeros años
de mi tierna mocedad,
y que sentarte en el trono
ha sido siempre mi afán.

LISARDO.  *(Aparte.)*
¡Oh infame!

ARBOL.  Pero a Lisardo
miro en él sentado ya,

y por ti solo lo ocupa.

LISARDO.  (Aparte.)
¡Cielos!... ¡Qué afrenta!

REINA.                          Es verdad.
Me fue preciso valerme
de su ambición infernal,
como seguro instrumento
con que el primer golpe dar.
Después, no me fue posible
freno poner a su audaz
arrojo, y le di mi mano
y el trono, para lograr
adormecerle un momento
y ver cumplido mi afán.

LISARDO.  (Aparte, despechado y haciendo vanos esfuerzos.)
¡Oh furia de los infiernos!
¡Oh portento de maldad!
Yo te ahogaré entre mis brazos,
y ahora mismo... Pero... ¡ah!
el encanto de este anillo
no puedo sobrepujar.

ARBOL.   ¿Mas a Lisardo del trono
cómo se puede arrancar?
¿No conoces su arrogancia?
¿No su esfuerzo sin igual?
¿No su altivez y osadía?...
Error grave fue en verdad
dar alas a ese coloso.

LISARDO.  (Aparte.)
¡Bien me conoce Arbolán!

REINA.   Nada temas, que yo sola,
yo se las he de cortar.

ARBOL.   Ved, señora, que su nombre,
aunque minándolo están
nuestros parciales y amigos,
aun goza prestigio tal
entre el pueblo y los soldados,

que en mucho tiempo quizás
no lograremos en tierra
con ese coloso dar.

REINA.  Pues te aseguro que hoy mismo,
hoy mismo en tierra dará.

ARBOL.  ¿Hoy mismo?

REINA.                    Sin duda... ¿Tiemblas?
¿Te falta aliento, Arbolán?

ARBOL.  No tiemblo, pero quisiera
con prudencia asegurar
golpe de tanta importancia.

REINA.  Hoy segurísimo está.

ARBOL.  Advertid que justamente
hoy guardia a palacio da,
con soldados escogidos,
un valiente capitán
que es el mayor partidario
de Lisardo, y el que más
entusiasmo le profesa.

LISARDO.  *(Aparte.)*
Noticia que aprovechar
sabré yo. Nada me asusta,
si tengo seguridad
de que la guardia me siga.
¡Pérfidos, no os temo ya!

ARBOL.  Desistid por hoy, señora,
de vuestro intento, y dejad
que el tiempo nos proporcione
de ese dragón infernal
triunfo completo y seguro.

REINA.  Calla, que insensato estás.
Oye.                              *(Con sigilo.)*

LISARDO.  *(Aparte, acercándose más.)*
        Oigamos.

REINA.                    Al momento,
y ya no puede tardar,
en que regrese Lisardo
de la caza, empezará

|          | el regio festín, dispuesto |
|          | en la cámara real, |
|          | donde es segura su muerte. |

ARBOL.    ¿Cómo?... No acierto... ¿Quizás?
REINA.    *(Con sigilo.)*
          Oye... Escúchame... La copa,
          la copa en que ha de brindar
          a la gloria de mi reino,
          por mí envenenada está.
LISARDO.  *(Aparte consternado.)*
          ¡Cielos!... ¡Qué horror!... ¿Es posible?
          ¡Oh monstruos de iniquidad!
          Mas, ¡ay! usan de un veneno
          como yo usé de un puñal.
ARBOL.    El medio es seguro.
REINA.                           Nadie
          puede este golpe evitar.
LISARDO.  *(Aparte y furioso.)*
          ¡Voy a arrojar este anillo
          y a sorprender su maldad!
                                    *(Conteniéndose.)*
          Mas no, nada lograría,
          que soy también criminal,
          y sólo un rostro sin mancha
          logra al crimen aterrar.
ARBOL.    ¿Conque hoy mismo?...
REINA.                              Sí, y su muerte
          de estos estados la paz,
          y el amor que te consagro,
          para siempre afirmará.
                                    *(Se oye rumor.)*
          Pero él llega; a recibirle
          vamos con risueña faz.
                                    *(Vanse.)*
LISARDO.  *(Paseándose muy agitado.)*
          ¿En dónde estoy? Estalla mi cabeza,
          va a reventar mi destrozado pecho.
          Me engañaron, sin duda, mis oídos.

Una ilusión fue todo del infierno.
Mi esposa... aquella Reina esclarecida,
que como un sol en la mitad del cielo
vieron mis ojos en el trono augusto,
y que con suave y seductor acento,
de lágrimas regado el rostro hermoso,
sus penas me contó, y amor tan ciego
en mí supo encender, ¿es... ¡ay! la misma
a quien acabo de escuchar?... Yo tiem-
[blo.
Mas... ¡mísero de mí, que en hondo olvido
el crimen do me hundió su encanto dejo!
¿Y por qué he de ser yo más venturoso
que su primer marido? Me estremezco.
*(Pausa.)*
¿Y Arbolán?... ¡Arbolán!... El hombre solo
por quien dulce amistad sintió mi pecho,
en quien deposité mi confianza,
el que colmé de elogios y de premios,
de honores, de riquezas... Aquel mismo
que ha corto rato ante mis plantas puesto
en actitud humilde, reverente,
gratitud me juraba... ¡Dios eterno!
¿Así se finge? ¿Así se disimula?
¿Se miente así? ¿Qué es un humilde acento?
¿Qué es un afable rostro, si la muestra
no son de lo que pasa allá en el pecho?
¡Qué horror! ¡qué horror! ¡Oh detestable
[mundo?
*(Pausa)*
Yo te maldigo, sí, yo te detesto.
¿Mas qué pronuncio sin temblar? ¡ay triste!
¿Lo que yo mismo soy olvidar puedo?
*(Fuera de sí.)*
Un asesino soy... ¡¡¡un asesino!!!
¿Es de los hombres el destino horrendo
el de ser criminales?... ¡Infelices!...
¡Mísera condición en que nacemos!

*(Pausa. Resuelto.)*

Pues a ser criminal. Si en la carrera
tan adelante estoy, el universo
admire en mí un coloso. Poderío
para aterrar a mis contrarios tengo.
Y si es lucha de crímenes la vida,
vivamos, sí, vivamos y luchemos.

*(Paseándose.)*

Caiga mi furia como ardiente rayo
sobre estos miserables, y deshechos
en ceniza a mis pies, sirvan al punto
a los conspiradores de escarmiento.
Sí, decidido estoy. Guardo el anillo,

*(Se lo quita, y lo guarda en la escarcela.)*

que tal cual soy manifestarme quiero,
pues que ya todos piensan que a palacio
del campo regresé con mis monteros.
Aquí un paje se acerca; la noticia
de que es la guardia fiel aprovechemos.
¡Hola!

*(Sale el PAJE.)*

PAJE.                  ¿Señor?
LISARDO.                  El capitán que manda
la guardia de palacio, en el momento
venga a mis pies.

PAJE.                  Seréis obedecido. *(Vase.)*
LISARDO.    Temblarán, yo lo juro, los perversos,
la sangre se helará de los traidores.
De una inicua mujer a los derechos
no deberé el reinar, sino tan sólo
a mi fortuna y a mi heroico esfuerzo.
Sí: el alto trono que fundar quería,
aquí lo he de fundar, y estoy dispuesto
a fundarlo tan firme, que con sangre
sabré amasar sus sólidos cimientos.

*(Sale el CAPITÁN de la guardia, que hinca una rodilla, y LISARDO lo levanta.)*

Alza y ven a mis brazos, que te esperan,

          de valor y lealtad noble modelo.
          Sé quién eres; te he visto en las batallas
          dando señales de tu heroico esfuerzo,
          y yo no olvido nunca a los soldados
          que en el campo lidiar con gloria veo.

CAPITÁN.   ¿A vuestro lado, oh rey el más cumplido
          que en el mundo jamás empuñó el cetro,
          quién pudiera en los campos de batalla
          no seguir fiel vuestro glorioso ejemplo?
          La llama del valor que en vos esplende
          se comunica a los vasallos vuestros,
          y no hay quien tras de vos no corra ansioso
          a buscar gloria en los mayores riesgos.
          ¿Qué me mandáis, señor?

LISARDO.                    Saber quería
          si a todo trance os encontráis dispuesto
          a obedecer mi voz.

CAPITÁN.               ¿Podéis dudarlo,
          si os juré por mi rey?... Poned os ruego
          a prueba mi lealtad y mi obediencia,
          y quedaréis de entrambas satisfecho.

LISARDO.   Acaso hoy mismo las pondré, y no dudo
          que mi apoyo serán, noble guerrero.
          ¿Sabes, di, que hay traidores?

CAPITÁN.                 No lo ignoro;
          mas yo sus tramas pérfidas no temo.

LISARDO.   Son muchos.

CAPITÁN.          Pero más son los leales.

LISARDO.   De temible poder, de nombre excelso.

CAPITÁN.   Su nombre nada importa; al declararse
          traidores, lo mancharon y perdieron.
          Y corto es el poder de los que apelan
          a oscuras tramas y a cobardes medios.

LISARDO.   Aterrarlos es fuerza, ante su vista
          presentando al instante un escarmiento

CAPITÁN.   Caiga el sol mismo desde su alto trono
          si osa el sol enojaros y ofenderos.

LISARDO.    Basta, que en tu lealtad y bizarría
            el más firme sostén gozoso encuentro.
            ¿Y los soldados de la guardia?
CAPITÁN.                                    Todos
            están por vos a perecer dispuestos.
LISARDO.    Que el salón del festín contigo ocupen;
            tú te colocarás tras de mi asiento,
            y a la menor señal, prendes y matas
            a los que yo indicare.
CAPITÁN.                            Entiendo, entiendo.
LISARDO.    Ahora pide mercedes.
CAPITÁN.                            Nada pido
            por cumplir fiel la obligación que tengo.
LISARDO.    Pues de mi cuenta corre en este día
            a tus servicios dar cumplido premio.
            De cuanto hemos hablado en este sitio
            guarda, que es importante, hondo secreto.
                    (El CAPITÁN hace una reverencia y se va.)
            ¿Si serán verdaderas sus ofertas,
            y esa noble lealtad, y ese denuedo?
            ¿Si será algún traidor, que finge y miente
            de honradez y valor con el aspecto?
            ¡Ah! los hombres que mandan a los hom-
                                                [bres,
            debieran penetrar los pensamientos.
            Juzgo que este soldado habló de veras,
            de buena fe... ¿quién sabe?... Bien, pro-
                                                [bemos
            dónde alcanza el favor de la fortuna
            y mi tenacidad... Ni ya otro medio
            se me ofrece... Sí... un golpe decisivo.
            El peligro se acerca; urge el momento.
            ¡Ay, que esto no es vivir! ¡Oh cuán horrible
            es aquesta ansiedad en que me veo!
                                            (Pausa.)
            Mas ya resuena en el salón cercano,
            donde el regio festín está dispuesto,
            el rumor de la turba cortesana.

Vamos, pues, al festín, y procuremos
que oculte cuidadoso mi semblante
la espantosa tormenta de mi pecho.

*(Vase.)*

## ESCENA V

*Aparece un salón fantástico, magnífico, perfectamente ilu-
minado, rodeado de aparadores, donde lucirán riquísimas
vajillas, y en medio una gran mesa cubierta de oro, plata,
cristal y flores, con seis cubiertos; dos a la testera, delante
de regios sillones; dos a la derecha, y otros dos a la
izquierda, con taburetes sin respaldo. Salen pajes, ricamente vestidos, con platos, copas y viandas. Y cortesanos de
gala, que se van colocando a un lado y otro de la escena. En
seguida sale* LISARDO *por un lado con manto y corona,
seguido del* CAPITÁN *y de la guardia, que se coloca al
frente en el fondo. Y por otro lado sale* LA REINA, *también
con manto y corona, seguida de damas lujosamente ata-
viadas. Al entrar los reyes en el salón, todos, menos las
guardias y damas, hincan una rodilla y gritan:*

TODOS.    ¡Viva el rey!
LISARDO.  *(Aparte.)*

¡Ah! Ya conozco
lo que son vuestros aplausos.
Miedo son... Mas si son miedo,
me suenan bien. *(Alto.)* Levantaos.
TODOS.    *(Levantándose.)*
¡Viva el rey!
LISARDO.  *(Con afectación.)*
Esos acentos
de lealtad y de entusiasmo
son el colmo de mis dichas,
nobles y fieles vasallos.

*(Aparte.)*

¿Cuántos habrá que traidores
estén mi exterminio ansiando?

                             *(Alto. A* LA REINA, *con énfasis.)*
                         Llegad, señora. ¡Cuán bella!
                         Sois el sol en que me abraso.
REINA.          En serlo siempre a tus ojos
                         se cifrarán mis conatos.
LISARDO.      *(Aparte.)*
                         ¡Oh aleve!... Una hiena miro
                         al través del regio manto.
                             *(Alto, y después de examinar al concurso.)*
                         ¿Y el Senescal?... No lo veo.
REINA.          *(Solícita.)*
                         La importancia de los cargos
                         que desempeña, retarda
                         su venida...
LISARDO.      *(Aparte.)* Sobresalto
                         me da su tardanza... ¡cielos!
                         mas fuerza es disimularlo.
                                                                     *(Alto.)*
                         No importa, que siempre a tiempo
                         a mi mesa y a mis brazos
                         llega guerrero tan noble
                         y personaje tan alto.


*Se sientan* LISARDO *y* LA REINA, *y detrás de sus sillones
se colocan* EL CAPITÁN *de la guardia y una dama, y ocupan
los otros cuatro asientos de la mesa cuatro personajes
ancianos de los que están entre los cortesanos. Los pajes y
las damas sirven la mesa, y toca una dulce orquesta tan
suave, que deje oír lo que se representa*


REINA.          *(Inquieta y aparte.)*
                         Ni un leve rumor escucho
                         que me anuncie lo que aguardo,
                         y temo llegue el instante
                         si Arbolán no está a mi lado.
LISARDO.      *(Aparte.)*
                         Apresurar quiero el golpe,

aunque siento mucho darlo
sin que Arbolán el primero
de su traición lleve el pago.
Pues está echada la suerte,
de tanta angustia salgamos.

*(Alto.)*

De beber.
*(Llega un paje con una salvilla de oro, y en ella
una rica copa.)*

REINA.        *(Tomando la salvilla de las manos del paje.)*
                    Venga esa copa,
que yo quiero de mi mano
servirla a mi rey y esposo.

LISARDO.      *(Con calma.)*
De vos la estaba esperando.
Y para fineza tanta
con toda el alma pagaros,
quiero que bebáis primero,
y que antes que yo brindando,
el licor de aquesa copa
torne en néctar vuestro labio.

REINA.        *(Turbada.)*
¿Yo... señor?...

LISARDO.      *(Poniéndose en pie y con entereza.)*
                    ¿Y qué os asusta?
Bebed pues, que yo lo mando.
*(Agitación general: LA REINA titubea, y se
oye un lejano rumor.)*

REINA.        ¡Cielos!... respiro.

LISARDO.      *(Sobresaltado.)*        ¿Qué suena?

CAPITÁN.      Son del pueblo los aplausos.

LISARDO.      *(Airado.)*
¿Qué tardáis?... Bebed, señora.

REINA.        *(Horrorizada tirando la copa.)*
¡No... jamás, jamás, Lisardo!

LISARDO.      *(Furioso.)*
Guardias, prended a la reina.

Ese vino emponzoñado
está. Prendedla...

REINA.     *(Saliendo en medio de la escena.)*
                              ¿Y quién puede
atentar?...

CAPITÁN.   *(Corriendo a ella.)* Yo, y mis soldados.
           *(Movimiento general de terror e indignación.*
           *Unos muestran asombro; otros meten mano a*
           *las espadas.)*

REINA.     ¡Traidores!... Yo soy la reina.
           Ved qué hacéis.
           *(Sale* ARBOLÁN *con la espada en la mano,*
           *seguido de un tropel de pueblo y de soldados.)*

VOCES.                         ¡Muera Lisardo!

LISARDO.   *(En medio de la confusión.)*
           ¡Guardias!... ¡Traidores!... Seguidme.

ARBOL.     *(Al* CAPITÁN *y soldados.)*
           ¿A un regicida, a un tirano
           defendéis?... Mirad en sangre
           del rey teñidas sus manos.
           Él lo asesinó, os lo juro.
           Valientes, abandonadlo.

CAPITÁN.   *(Asombrado.)*
           ¿De veras?... ¡Qué horror!... No demos
           a tal monstruo nuestro amparo.
                         *(Abandona la guardia a* LISARDO.)

LISARDO.   ¡Ah cobardes!...

VOCES.                         ¡Muera, muera!

ARBOL.     *(Conteniendo a la turba.)*
           ¡Muera, pero en un cadalso!

LISARDO.   *(Despechado.)*
           ¡Oh furor!... ¡Oh adversa suerte!
           Con el anillo me salvo.
           *(Se pone rápidamente la sortija de la bruja, y*
           *se hunde por escotillón. Cae el telón.)*

# ACTO CUARTO

## ESCENA PRIMERA

*El teatro representa el mismo rústico jardín de la segunda escena del primer acto, pero sin el lecho de LISARDO ni el asiento. La gruta de MARCOLÁN, y él dentro de ella, está siempre inmutable. Sale LISARDO por escotillón, con traje humilde y sin la sortija*

LISARDO.   *(Asombrado.)*
         ¿Adónde, adónde, cielos, me ha traído
         el anillo encantado?...
         ¿Cómo hasta aquí tan rápido he venido?
         ¿Qué lóbrega región he atravesado?
         Pasmado estoy.
                *(Notando que le falta la sortija.)*
                Mas ¡ay!... la misteriosa
         sortija, ¿qué se ha hecho?...
         ¿Cómo he perdido prenda tan preciosa?
         Entre mis manos mismas se ha deshecho.
                *(Reconociéndose la mano.)*
         Sí... desapareció. Y en lugar de ella,
         en torno de mi dedo,
         de sangre helada me quedó una huella.

¡De asombro respirar apenas puedo!
            *(Reconociendo el sitio en que está.)*
Mas, ¿dónde estoy?... No hay duda, la flo-
donde tan venturoso                          [resta
me vi en los brazos de mi Zora, es esta,
donde empecé a vivir y a ser dichoso.
                              *(Complacido.)*
Aquí descansaré. Y aquí del mundo
de crímenes, tornando
al de placer y amor, el furibundo
rigor de mi destino iré amansando.
*(Pausa, y recorre la escena como para cercio-
rarse de que es el mismo sitio que dice.)*
Mas ¡ay!... No tan risueña me parece
como la vez primera
esta mansión. Ni plácida me ofrece
aquel encanto que a mi pecho diera.
¿Acaso nunca el hombre la ventura
recupera perdida,
y vano es su afanar cuando procura
felice ser dos veces en la vida?...
No; sin duda esta selva me parece
lóbrega porque en ella,
como resplandeció, no resplandece
la pura luz de mi divina estrella.
Yo buscaré perdido y anhelante
a mi adorada Zora,
y tornarán su aliento y su semblante
a hacerme esta mansión encantadora.
*(Va a salir resuelto, y vuelve afligido y tur-
bado.)*
Pero ¡triste de mí!... ¡Zora!... Yo ingrato
la rechacé orgulloso,
con duro acento, con altivo trato,
desoyendo su ruego doloroso.
¿Y cuándo?... Cuando hermosa y apacible,
ángel de paz, venía
de un crimen espantoso, atroz, horrible,

a libertar, ¡ay, Dios! el alma mía.
                        *(Profundamente conmovido.)*
¡Zora!... ¡Zora!... Vengada estás, mi pecho
es raudal de amargura,
y por las garras del dolor deshecho,
implora tu perdón y tu ternura.
¿Y obtendré tu perdón? Dulce esperanza
de obtenerlo me alienta,
pues no cabe el rencor ni la venganza
en el tierno candor que en ti se ostenta.
¡Ah!... Perdóname, sí, dame consuelo,
que tú sola en el mundo
puedes sacarme, por favor del cielo,
de este agitado piélago profundo.

*Sale y cruza lentamente el teatro un rústico y humilde entierro, compuesto de cuatro doncellas vestidas de blanco con guirnaldas de ciprés. Cuatro villanos con sayos negros, que en unas angarillas llevan a ZORA Muerta y vestida cual se presentó en la segunda escena del primer acto, y detrás dos hombres enlutados y un viejo enterrador, también de luto, y con un azadón al hombro*

LISARDO.    *(Sorprendido.)*
            ¡Oh cielos!... ¿Qué viene allí?...
            Un rústico funeral.
            Me hiela un sudor mortal.
            No sé lo que pasa en mí.
            Preguntaré.    *(Se acerca al ENTERRADOR.)*
                    Buen anciano,
            ¿quién es esa desdichada?
ENTERR.     Es Zora, que abandonada
            por un marido inhumano,
            y ardiendo siempre en amor,
            tras de penosa agonía
            murió al despuntar el día,
            víctima de su dolor.

LISARDO.  *(Convulso.)*
          ¿Zora?...
ENTERR.              Sí, Zora.
LISARDO.  *(Fuera de sí, deteniendo el entierro.)*
                    ¡Ah! ¡Dejad
          que sobre el cadáver yerto
          este infeliz quede muerto,
          y una tumba a entrambos dad!
ENTERR.   Retroceded, imprudente,
          alejaos... ¿qué pretendéis?
          No el reposo profanéis
          de una mísera inocente.
LISARDO.  *(Furioso.)*
          ¡Este cadáver es mío,
          miserables!
ENTERR.               ¡Insensato!
          ¿qué frenético arrebato,
          qué furioso desvarío
          te obliga?...
LISARDO.  *(Acometiendo al féretro.)*
                    Sí, Zora es mía.
          Dádmela, que es mía, sí,
          o todos seréis aquí
          despojo de mi osadía.
          *(Los dos enlutados que defendían el féretro se
          asustan y retroceden.)*
ENTERR.   *(Asustado.)*
          De su furia me acobardo.
LISARDO.  *(Furioso en todo extremo.)*
          ¡Dadme, dadme luego a Zora,
          o la rabia abrasadora
          temed del feroz Lisardo!

*Al oír este nombre, los cuatro que llevan las angarillas las
dejan en el suelo sobrecogidos de terror, y ellos y las doncellas se ponen en fuga*

ENTERR.  *(Sobrecogido de espanto.)*
Lisardo es el que miramos.
Sí, Lisardo el asesino.
¿Por dónde a esta tierra vino?
¡Qué horror!... ¡Oh cielos! huyamos.
*(Vase con los dos enlutados.)*


*Corre* LISARDO *frenético. Levanta el velo negro que cubre el cadáver de* ZORA; *lo saca del féretro y lo lleva en brazos a un lado del proscenio, haciendo extremos de demente*


LISARDO.  *(Agitadísimo.)*
¡Zora del alma mía,
Zora, mi bien, despierta!...
¡Zora... mi Zora!... ¡Ah! ¡muerta!
¡Helada!... Apenas puedo respirar.
Y yo, yo, ¡estrella impía!
yo te he dado la muerte.
¿Y en mis brazos tenerte
oso, y tu faz marchita contemplar?
*(Reconociéndola y tocándola como dudoso de su muerte.)*
¿Engañoso desmayo
acaso no pudiera,
cual nube pasajera?
                              *(Cerciorado.)*
No. Es un cadáver. ¡Mísero de mí!
                    *(Alejándose del cadáver.)*
Cielos, lanzad un rayo
que mi frente confunda,
que me anonade y hunda,
y que a su lado me sepulte aquí.
*(Acercándose e inclinándose sobre el cadáver.)*
Si pudiera mi aliento,
si mi sangre, mi vida,
si la llama encendida
en mi pecho, do el crimen se asentó,

pasarse en un momento
a esta ceniza fría...
¡Oh cuánto ganaría
el mundo, y cuánto ganaría yo!...

*(De rodillas.)*

Con el mundo piadoso
sed, ¡oh Dios! Revivida
a costa de mi vida
volvedle esta mujer angelical,
este astro luminoso.
Y de mí libertadle,
el espanto quitadle
de este monstruo sangriento y criminal.

*(Delirante, abrazando el cadáver de* ZORA.)

Mi ángel, despierta;
álzate, mira,
vive, respira,
oye mi voz.

*(Despechado.)*

¡Ay!... ¡Está muerta!
Y yo la muerte
¡horrenda suerte!
le di, feroz.
Yo me ahogo, mísero,
no puedo más.
Mujer angélica,
vengada estás.
Ardiente tósigo
me abrasa, sí:
¡oh tierra! trágame,
trágame aquí.

*(Queda inclinado sobre el cadáver, abrumado de dolor.)*

LISEO.       *(Dentro.)*
             Lisardo... Lisardo
LISARDO.     *(Aterrado.)*
                                   ¿Quién?...

La voz de la eternidad
me ha llamado... ¡Oh Dios, piedad!
Piedad de un mísero ten.
(*Sale* LISEO, *y al verlo queda* LISARDO *confundido.*)

LISEO.    (*En tono amenazador.*)
Lisardo, si no contento
con haber dado la muerte
a esa infelice, faltando
al juramento solemne
que aquí en mis manos hiciste,
cebarte furioso quieres
en su mísero cadáver,
y en tu crimen complacerte,
la justicia de los cielos
y la de los hombres teme.
La justicia que reclama
el desconsuelo, que adviertes
con horror en mis mejillas,
y en las sombras de mi frente.
Que el desconsuelo de un padre,
como yo afligido, siempre
en el tribunal eterno
piadosa acogida tiene.

LISARDO.  (*Turbado, acercándose a* LISEO.)
¡Señor!... ¿Sois vos?

LISEO.    (*Severo.*)              Sí, Lisardo.
Soy Liseo. Tiembla al verme.
Soy el que te dio su hija
para que feliz la hicieses.
Mira cuán la devolviste
a su paternal albergue.

LISARDO.  (*Confuso.*)
Señor... Sois el primer hombre,
que... turbado... reverente...
temblando escucho.

LISEO.                    Lisardo,
no soy yo quien tanto puede.

Es el espectro espantoso,
que delante miras siempre;
y son los remordimientos
de los crímenes que hierven
en tu corazón.

LISARDO.    *(Desconsolado y suplicante.)*
                                        ¡Oh padre!...
LISEO.      *(Retrocediendo.)*
            Quita, monstruo... ¿Qué pretendes?
LISARDO.    Yo... Mi Zora...
LISEO.                          ¿Zora tuya?...
            Zora es sólo de la muerte:
            Zora de la tierra es sólo,
            y yo solo soy quien debe
            darle el último descanso.
            Aléjate. Aquí no eres
            más que una espantosa hiena,
            un buitre voraz, que viene
            a destrozar un cadáver.
            Déjalo en paz. Huye, vete.
            *(Va cerca del cadáver y se pone en acto de de-*
            *fenderlo.)*
LISARDO.    *(Conmovido.)*
            No, no. Mi esposa fue Zora
            y si no logro la muerte,
            que es lo que anhelo, a su lado,
            para que ambos nos encierre
            un mismo sepulcro, quiero
            dárselo como merece.
                            *(Recobrando su altanería.)*
            Mi magnífico palacio,
            que domina estos verjeles,
            recíbala en sus salones;
            y en ellos mi esposa encuentre
            el soberbio mausoleo,
            que a sus cenizas conviene.
            Todas mis riquezas, todas,
            en su sepulcro se ostenten;

<pre>
                 y de que fue esposa mía
                 en el mundo se conserve
                 el recuerdo, en oro y mármol
                 consignado para siempre.
LISEO.           ¡Insensato!... ¿Tus riquezas?...
                 ¿Tu palacio?... Estás demente.
                 ¿Ignoras que de bandidos
                 una codiciosa hueste
                 ha robado tus tesoros,
                 y que ha incendiado inclemente
                 tu magnífico palacio?
                 Corre a verlo. Nada tienes.
                 Tus riquezas y tu alcázar
                 son vil ceniza, humo leve.
</pre>

LISARDO *sobrecogido vuelve el rostro al fondo de la escena y abriéndose y apartándose de repente los árboles, dejan ver a lo lejos el palacio ardiendo, y queda todo iluminado con el rojo resplandor del incencio*

<pre>
LISARDO.         (Corriendo hacia el fondo.)
                 ¿Qué es lo que miro?... ¡Infelice!
                 ¡Ah!... mis fuerzas desfallecen.
                          (Cae al suelo privado de sentido.)
</pre>

LISEO *hace una seña, y salen los cuatro villanos con sayos negros, colocan apresuradamente el cadáver de* ZORA *en las angarillas, y con ellas se van todos, dejando solo y tendido en tierra a* LISARDO. *Se vuelven a unir los árboles del fondo, ocultando el incendio, y queda la escena en la mayor oscuridad*

<pre>
                                 (Volviendo en sí.)
              ¡Infeliz! ¡infeliz!... ¡Ay!... ¿Y aún respiro?
              ¿para qué torno a la angustiosa vida?
              ¿En dónde un rayo de consuelo miro?
</pre>

¡Ah! toda mi esperanza está perdida.
*(Se levanta del suelo.)*
Sí, toda mi esperanza
se la ha llevado el viento.
                *(Recobrando gradualmente su energía.)*
¿Y quedará Lisardo sin venganza,
tendido en este potro de tormento?
Yo, yo, dominador de la ancha tierra,
yo, rayo de la guerra,
¿he de morir en este valle oscuro
como el más vil mortal, como un gusano;
y reirá el orbe ufano,
de mi furor juzgándose seguro?
                                        *(Despechado.)*
Desplómate, rasgado en roncos truenos,
cielo, sobre mi frente,
o trágame inclemente,
tierra de horror, en tus oscuros senos.
¿Yo desde el regio trono
en la miseria hundido,
y por traidores pérfidos vendido,
y de una vil mujer por el encono?
¿Y cuando en mis riquezas
nuevo apoyo busqué, para que el mundo
admirando de nuevo mis proezas
otra vez lleno de terror profundo
se humillara a mis plantas,
tras desventuras tantas,
hallo ceniza y humo,
y en furor impotente me consumo?
                                        *(Pausa.)*

Mas nada, nada importa
cuanto perdí, que aún quedo yo. Y aún
el colosal aliento                    [siento
que mi indomable corazón aborta.
Si el cielo me ayudara... ¿Más qué dice
mi necio labio?... El cielo me maldice.

> Pues bien, mi ayuda sea
> el infernal poder. Oiga mi ruego,
> deme su auxilio, y luego
> asombrado verá cuán bien lo emplea.

*Se oye un espantoso trueno subterráneo, y sale por escoti-
llón* EL DEMONIO *vestido de bandolero, pero con algunas
señales que manifiestan quién es. En el momento de apa-
recer se verá un gran relámpago que alumbre toda la
escena, volviendo luego a quedar en tinieblas*

DEMONIO. *(Con voz áspera.)*
> ¿Qué del infierno quieres?
> Él a satisfacer tu afán me envía.
LISARDO. *(Asombrado.)*
> ¡Oh qué espanto!... ¿Quién eres?
DEMONIO. No la presencia mía
> te turbe, pues poder para ayudarte,
> Lisardo altivo, tengo; y para darte
> los medios con que alcanza
> un hombre de tu temple la venganza.
LISARDO. *(Reanimado y con ansiedad.)*
> Dame armas y pendones,
> guerreros escuadrones,
> que mis contrarios aterrados vean
> y que del orbe el exterminio sean.

EL DEMONIO *da una patada en el suelo, y de los troncos de
los árboles, de los riscos, y de debajo de tierra salen bandoleros de aspecto feroz y torvo, vestidos de pieles de fieras,
con cascos de hierro y con cimitarras, lanzas, arcos y fle-
chas.* LISARDO *los mira con asombro y admiración*

DEMONIO. Helos aquí presentes,
> y aunque los juzgues pocos, tan valientes
> que excederán en mucho tus deseos,
> poblando el ancho mundo de trofeos.

LISARDO.  ¡Oh qué extraño portento!
          Nacen escuadras a mi solo aliento.
                  *(Se reconoce y ve que no tiene espada.)*
          ¿Pero yo desarmado?
DEMONIO.  *(Dándole una espada.)*
          Este estoque te traje preparado,
          guadaña de la muerte,
          y prenda digna de tu brazo fuerte.
          Con él a la cabeza
          ponte de estos valientes bandoleros,
          que bandoleros son, mas no te asombre,
          pues no serás, Lisardo, el primer hombre
          de arrojo y fortaleza,
          que al frente de bandidos ha logrado
          un imperio rendir, un elevado
          trono fundar, y ver postrado al mundo
          besar su planta con terror profundo.
LISARDO.  *(Entusiasmado.)*
          Sí; cuando empuño una tajante espada
          y de valientes circundar me veo,
          ser ya señor del universo creo,
          y contemplo la tierra encadenada.
DEMONIO.  Emprende tus campañas,
          que el renombre inmortal de tus hazañas,
          obedientes muy pronto a tus pendones
          traerá nuevos y fuertes escuadrones
          y poderosas lanzas,
          que satisfechas dejen tus venganzas.
          Y porque no tan sólo con despojos,
          de fresca sangre rojos,
          premies a los soldados
          que sigan tus banderas esforzados,
          quiero mostrarte ahora
          las riquezas ocultas que atesora
          este bosque sombrío.
          Por aquí de oro puro pasa un río.
          Míralo por la señas
          que te dan estos troncos y estas breñas.

*(Toca varios troncos y piedras, y se convierten en oro resplandeciente.)*
Todo es tuyo, Lisardo.

LISARDO. *(Reconociendo admirado aquella riqueza.)*
¡Portento sin igual!... ¿Y ya qué aguardo?
*(Dirigiéndose a los bandoleros, que estarán apiñados a un lado.)*
¡Oh, valientes? volemos,
y al mundo leyes y cadenas demos.
Campiñas y ciudades
se conviertan en yermas soledades,
y abriendo a sangre y fuego ancho camino,
las leyes trastornemos del destino:
por él ciegos corramos,
sembrando horror y muerte. Vamos, vamos.

*Se arroja decidido* LISARDO *al frente de los bandoleros hacia el fondo de la escena, donde se levanta de pronto delante de él, atajándole el paso, una muralla de bronce; y baja de las bambalinas, y se pone de pie sobre la muralla,* UN ÁNGEL *mancebo, con una ropa flotante de tela de plata, alas extendidas de plumas de colores, y con dos espadas de fuego, una en cada mano. Al mismo tiempo arde arriba una llama de Bengala que lo ilumina todo.* LISARDO *retrocede horrorizado, y lo mismo* EL DEMONIO *y los bandoleros, agrupándose todos a un lado del proscenio sin osar mirar al* ÁNGEL

ÁNGEL. ¡Confúndete, miserable!
¡Tente, mortal infeliz!
tu furia y la del infierno
pasar no pueden de aquí.

LISARDO. *(Aterrado.)*
¡Ah!... ¿Qué es esto?... ¿Qué alto muro
se alza mi paso a impedir?
¿Qué luz deslumbra mis ojos?...
¿Qué voz tronadora oí?...
                    *(Abrazándose al* DEMONIO.)*

Dame tu amparo...

DEMONIO. *(Cobarde y despechado.)*

No puedo
contigo adelante ir,
que es la voluntad divina
el muro que ves ahí;
y traspasarlo no pueden
ni mi audacia ni mi ardid,
ni todo el infierno junto
derribarlo... ¡Pese a mí!
*(Se hunde* EL DEMONIO *y los bandoleros, y se
queda* LISARDO *sin espada.)*

ÁNGEL. La medida se ha llenado.
Decretado está tu fin.
*(Se remonta* EL ÁNGEL *y desaparece, y se
apaga la llama de Bengala, quedando enteramente oscura la escena.)*

LISARDO. *(Medio derribado en tierra.)*
¡Ay de mí desdichado!
¡Qué horror!
Siento mi pecho helado
de terror.
¡Ay!... Mi soberbio brío,
¿dónde está?
El alto esfuerzo mío
nada es ya.

VOCES. *(Dentro a lo lejos.)*
¡Por aquí, por aquí!

OTRAS. *(Dentro más cerca.)*
Vamos, marchemos.

ARBOL. *(Dentro.)*
Si aquí el traidor se oculta,
y lo espeso del bosque dificulta
que con él encontremos,
al fuego abrasador la selva demos.

LISARDO. *(Levantándose presuroso.)*
Allí, ¡oh furor! mis enemigos vienen,
y del vil Arbolán la voz escucho.

Con nuevas ansias lucho...
Aun miedo a mi poder cobardes tienen.
Y tienen bien...                    *(Reanimado.)*
                    porque mi faz airada
sabrá aterrarlos y mi ardiente espada.
*(Va a meter mano, y se encuentra sin espada.)*
Mas ¿dónde... ¡cielo santo!
mi espada está?... ¿Quién pudo
quitármela?... *(Horrorizado.)* ¿Lo dudo?
El infierno... ¡qué espanto!...
pues prenda suya era.

VOCES.    *(Dentro cerca.)*
          Allí está el asesino.

OTRAS.                        ¡Muera, muera!

LISARDO.  *(Aterrorizado.)*
          Huyamos, si un camino
          aún me guarda piadoso mi destino.
          *(Corre hacia el muro y vuelve atrás despechado.)*
          ¡No le hay... sólo la muerte!
          Cúmplase pronto mi tremenda suerte.

*Salen en confuso tropel soldados, villanos y caballeros de los que ya se han visto en la plaza y en el palacio, todos con espada o lanza, o hacha de armas, en la mano derecha, y en la izquierda una antorcha encendida. Se esparcen feroces por la escena rodeando a* LISARDO. *Detrás de ellos sale* ARBOLÁN *con corona de oro sobre el morrión, manto real sobre la armadura y la espada en la mano, y le rodean cuatro guardias con alabardas*

UNOS.     *(Al salir.)*
          Aquí está el regicida.

OTROS.    *(Idem.)*
          Aquí está el asesino.

LISARDO.  *(Al ver venir a* ARBOLÁN.*)*
          Mi manto y mi corona
          en quién ¡oh cielos! miro.

            ¡Ay! de mi pecho es este
            el más atroz martirio.

ARBOL.      *(Conteniendo a los suyos.)*
            No le matéis. Prendedle,
            porque no debe, amigos,
            morir a honradas manos,
            cual noble, en este sitio;
            sino a las del verdugo,
            en infame suplicio.
                  *(Todos se contienen, y llega a* LISARDO.*)*
            Humíllate a mis plantas;
            confúndete, asesino.

LISARDO.   *(Con altivez.)*
            Mátame. ¿Qué te asusta?
            Pasa este pecho mío,
            pues me encuentras sin armas
            por tu feliz destino.
            Que si espada tuviera,
            te juro por mí mismo
            que tú y estos cobardes
            que me insultan altivos,
            huyeráis de mi saña,
            pidiendo a Dios auxilio.

ARBOL.      *(Orgulloso.)*
            Ríndete, miserable,
            que soy tu rey.

LISARDO.   *(Con desprecio.)*
            ¡Inicuo!
            jamás... Un vil aleve
            solamente en ti miro,
            y en esta infame turba,
       . rebeldes siervos míos.

TODOS.      *(Agitándose en torno.)*
            ¡Muera!

ARBOL.      *(Conteniéndolos.)*
                 No. Sujetadle,
            y al cercano castillo,
            cargado de prisiones,

al punto conducidlo.
Allí en un calabozo
confúndase su brío
el plazo de esta noche;
pues al momento mismo
que el nuevo sol alumbre,
en infame suplicio
perecerá, del mundo
y del cielo maldito.
(*Luchan un instante con* LISARDO *y lo sujetan
y sacan de la escena, y con él se van rápidamente todos y* ARBOLÁN.)


## ESCENA II

*Decoración corta que representa una oscura prisión con dos
fuertes rejas, una a la derecha y otra a la izquierda. Es de
noche. Sale* LISARDO *cargado de cadenas, pero puestas de
modo que no le impidan el andar, ni la acción de los brazos*

LISARDO.     ¿Es verdad?... ¿Lisardo soy,
el que no cupo en la tierra?
¿Este calabozo encierra
todas mis grandezas hoy?
¿Es cierto que atado estoy,
y con hierros mi furor
sujeto, por el temor
con que ve cobarde el mundo
mi denuedo sin segundo
y mi indomable valor?...
    Es verdad, no hay duda, sí.
Cobardes, viles, traidores,
ahora sacian sus rencores
a mansalva sobre mí.
Pero sepan que aun aquí,
de cadenas abrumado
y de estos muros cercado,

arder en mi pecho siento
aquel volcánico aliento
que el orbe admiró postrado.

Arde, y si el cielo me diera
estos hierros quebrantar,
estos muros derribar
y volver a mi carrera,
lección saludable fuera
mi estancia en esta prisión;
sí, saludable lección
que me dice: del dominio,
la sangre y el exterminio
las firmes columnas son.

La sangre de los traidores,
el exterminio total
de todo osado rival,
son sus cimientos mejores.
Si lograran mis furores,
si mi sañuda altivez,
de esta torre la estrechez
burlar... ¡ah!... por vida mía,
que el mundo no me vería,
cual estoy, segunda vez.

*(Se pasea y se oye a lo lejos rumor de música
militar, y prosigue animoso.)*

¿Y qué, me cierra el destino
con brazo terrible y fuerte,
en tan angustiosa suerte,
de la esperanza el camino?...
Rumor de tropa imagino
hacia este lado sonar;
aun me pudiera ayudar,
recordando la alta gloria
de tanta insigne victoria
como yo le supe dar.

*(Se acerca a una de las rejas, por donde se ve
el resplandor de las hachas de viento.)*

        Son ¡ah! mis soldados, sí,
      los que glorioso mandé,
      los que de lauro colmé,
      los que un Dios vieron en mí.
               *(Con voz alta hablando por la reja.)*
      ¡Valientes, mirádme aquí!
      La traición, la envidia fiera,
      me tienen de esta manera.
      Que vuestro esfuerzo leal
      salve a vuestro general.
      Soy Lisardo.
VOCES.     *(Dentro.)*   ¡Muera, muera!


LISARDO *se retira precipitado de la ventana con muestras de despecho*


LISARDO.   ¡Oh desengaño cruel!
      ¡Oh terrible confusión!
      Me aprietan el corazón
      como un áspero cordel.
      ¿Qué se ha hecho, cielos, aquel
      entusiasmado ardimiento,
      que daba mi nombre al viento
      cual del numen de la guerra,
      y que por rey de la tierra
      me dio en el dosel asiento?
              *(Se oye a lo lejos rumor de pueblo.)*
       Mas del pueblo en la memoria
      más firme estará grabado,
      que mi esfuerzo denodado
      le dio libertad y gloria;
      que ganando una victoria
      lo liberté del furor
      d l bárbaro destructor.
      Pues bien, al pueblo apelemos,
      ya que en los soldados vemos
      tanto olvido y tal rencor.

*(Se acerca a la otra reja, por la que también se advierte el resplandor de luces.)*

Sí... La plaza toda llena.
Quiero hablarle. Oiga mi voz.

*(En voz alta hablando por la reja.)*

Pueblo: ved mi suerte atroz.
La envidia aquí me encadena,
y ella sola me condena.

Yo sacrifiqué mi vida
por vuestro bien. Defendida
la patria ha sido por mí.
Sacadme, oh pueblo, de aquí.

VOCES.    *(Dentro.)*
¡Muera, muera el regicida!

LISARDO.    *(Volviendo aterrado al medio de la escena.)*
¡Oh qué horror! ¡Qué ansia mortal!
¿De quién, ¡ah! de quién me quejo?
¿Así en el olvido dejo
que soy atroz criminal?
¡Oh, qué recuerdo fatal!...

*(Despechado.)*

Mas, por ventura, ¿mejores
son los aleves traidores
que mi muerte han decretado,
trayéndome al duro estado
de blanco de sus furores?

¡Ay! sin venganza morir
es lo que me aflige más.
Si consiguiera quizás
de nuevo al mundo salir,
¿quién pudiera resistir,
quién, mi encono vengador?

¡Con qué gozo de furor,
con qué furiosa alegría
en sangre lo inundaría
y lo hundiera en el terror!

Si hay algún hombre ambicioso
que saciada quiera ver
su ambición, venga a romper
mi cárcel, será dichoso.
Protéjame poderoso,
verá lo que por él hago.
Le fundaré sobre un lago
de sangre, un imperio, sí.

*Sale rápidamente por escotillón el espectro del* REY *con manto y corona, y mostrándole el pecho herido y brotando sangre*

REY.        ¡Traidor, yo te protegí
            y me diste este pago!            *(Húndese.)*
LISARDO.    *(Pasmado de terror.)*
                ¿Qué han visto mis ojos? ¡Ah!...
            ¡Qué visión tan espantable!
            Y yo, ¡cuán abominable
            me miro y contemplo ya!
            Justa es la suerte que está
            amenazando mi frente.
            Mas ¡ay! me hizo delincuente
            el mundo fascinador,
            que aunque nací con valor,
            nací también inocente.
                ¡Oh ambición! ¡Oh poderío!
            ¿Quién con vos no es criminal?
            Os detesto, odio mortal
            os jura este pecho mío.
            Si de mi destino impío
            el rigor burlar pudiera,
            ¡cuán distinta vida hiciera!...
            Buscara, lejos del mundo,
            paz y reposo profundo;
            el campo mi asilo fuera.

                                    *(Enternecido.)*

El campo... ¡Qué venturoso
en él, ¡ay cielos! me vi!...
Al campo volviera, sí,
y a su tranquilo reposo...
Tierna Zora, dueño hermoso,
¡qué feliz en él me hiciste!
¡Sé el amparo de este triste!
¡Ven mis hierros a romper!

*Sale por otro escotillón el espectro de* ZORA, *tal cual
estaba su cadáver*

ZORA.    *(Con voz sepulcral.)*
        Feliz yo te quise hacer;
        la muerte en pago me diste.

                                *(Húndese.)*

LISARDO.    *(Trémulo y aterrado.)*
        ¡Ay de mí desventurado!
        ¿Esto he visto, y vivo estoy?
        Me encuentro por doquier hoy
        de crímenes rodeado.
                *(Muy afligido y mirando al fondo.)*
        Mira por mí, padre amado.
        De este mundo de maldad
        vuélveme a la soledad
        del escollo en que nací;
        torne a verme junto a ti,
        ten de Lisardo piedad.

*Aparece en medio del muro de la prisión que cierra el
fondo, un cuadro grande trasparente, en que se ve con toda
exactitud la decoración de la primera escena del acto primero, esto es, la montaña de peñascos, descubriéndose por
un lado el mar y a la derecha del espectador la gruta de
MARCOLÁN, dentro de la cual se verá distintamente solo
un esqueleto. LISARDO lo contempla un momento estupefacto, retrocede, y el cuadro desaparece*

LISARDO.   *(En la última desesperación.)*
           La furia veo patente
           con que el cielo inexorable
           su maldición espantable
           desploma sobre mi frente.
           ¡Oh, qué tormento inclemente
           es aqueste afán interno!...
           ¿Qué me espera, Dios eterno?...
           ¿Qué me aguarda, hado cruel?

           *Suena bajo el tablado la*

           VOZ DEL GENIO DEL MAL

           El patíbulo, y tras de él,
           la eternidad del infierno.

*Se descubre todo el fondo del teatro, y aparece una gran horca, con cordeles y escalera pintada de negro, que estará aislada, y detrás a alguna distancia se verá un mar de fuego, que llena todo el frente y se agita en todas direcciones, viéndose cruzar por él figuras negras y movibles de demonios, serpientes y monstruos espantosos. La escena se alumbrará toda con la luz roja de las llamas. LISARDO contempla un momento aterrado tan espantosa visión, y corre de un lado a otro, haciendo extremos, y va a caer desmayado en el sitio en que estaba su lecho en el primer acto*

LISARDO.   *(Cayendo desmayado.)*
           ¡Qué horror! ¡Qué horror!... ¡Ay de mí!...
MARC.      *(Dentro de su gruta mirando al reloj de arena.)*
           El conjuro está cumplido.
           Vuelva a gozar el dormido
           de paz y reposo aquí.

*Cruzan el teatro en todas direcciones, y como al fin de la primera escena del primer acto, las mismas ligeras gasas*

*trasparentes, con figuras vagas y fantásticas, y se reúnen
como entonces en el fondo y delante de* LISARDO, *formando
como una niebla blanquecina que lo oculta todo. Verificado
esto, cierra el libro* MARCOLÁN, *se levanta gravemente,
toma su vara de oro, y sale majestuosamente de la gruta
mirando a todos lados*

MARC.       *(En tono solemne.)*
            Espíritus celestes e infernales,
            genios del bien y el mal, que los destinos
            por ocultos caminos
            dirigís de los míseros mortales,
            pues que ya obedecisteis mi conjuro,
            alejaos de este escollo en el momento,
            y a la región del viento
            tornad, o de la tierra al centro oscuro.
            *(Agita la vara en derredor.)*

*Se alza rápidamente la niebla, y aparece la misma decora-
ción con que empezó el drama, con la diferencia de que el
mar estará tranquilo. Detrás de él y de la montaña de
peñascos se verá un cielo que represente un risueño amanecer. El tosco lecho se verá en el mismo sitio, y en él*
LISARDO *dormido, vestido de pieles, como apareció la primera vez*

LISARDO.    *(Inquieto y aún soñando.)*
            ¡Ay de mí!... ¡Basta!...¡qué horror!...
MARC.       *(Contemplándole con compasión.)*
            ¡Desdichado? Aún el ensueño
            es de sus sentidos dueño.
            Termine ya su rigor.
            *(Extiende sobre él la vara y dice en voz alta):*
            Deja, Lisardo, el reposo,
            que ya en el risueño oriente
            la aurora resplandeciente
            anuncia un sol venturoso.
            Despierta, despierta, pues.
            *(Le toca con la vara y se retira a un lado.)*

LISARDO. *(Despierta, mira atónito a todos lados, se levanta y corre a los brazos de su padre.)*
¿En dónde, ¡oh cielos! estoy?...
¡Oh, qué venturoso soy!
Mi amado padre aquel es.
¡Padre!

MARC. *(Con gran ternura.)*
   ¡Hijo mío! ¿Has pasado
bien la noche?

LISARDO. *(Abatidísimo.)*
      ¡Padre!... ¡Oh!
¡Qué infeliz he sido yo!
Tengo el pecho destrozado.

MARC. ¿Mas para ir al mundo estás
dispuesto cual te ofrecí?
Hoy me dejarás aquí...

LISARDO *(Abrazando estrechamente a su padre con gran vehemencia y la mayor expresión de terror.)*
¡No, padre mío, jamás!
*(MARCOLÁN alza la cabeza y las manos al cielo como para darle gracias; cae el telón.)*

Sevilla, 1842.

**SELECCIONES AUSTRAL**

## TÍTULOS PUBLICADOS